Schlösser
in Deutschland

Schlösser in Deutschland

Text:
Susanne Ulrici
Fotografie:
Edmond van Hoorick

sigloch edition

Abbildung auf den vorhergehenden Seiten: Schlößchen Schönburg, Hofgeismar, Hessen. Nehmen wir es vorweg: Dieses für den Landgrafen Wilhelm IX. erbaute Schlößchen (1790, Architekt: Simon Louis du Ry) schließt den Ausbau des Staatsbades Hofgeismar ab und bedeutet gleichzeitig den Endpunkt seiner Blütezeit. 1866 wurde das Staatsbad schließlich ganz aufgehoben, die Baulichkeiten wurden für andere Zwecke verwendet.

Angefangen hat es im Dreißigjährigen Krieg, als man 1639 die alten Mineralquellen bei der Stadt wiederentdeckte. Bald strömte das wundergläubige Volk herbei in der Hoffnung, von der Fallsucht, von Lähmungen, Krätze, von den »alten Schäden und faulen Löchern« des Krieges geheilt zu werden. Fast alle Bäder rühmten sich auch, kinderlose Frauen fruchtbar machen zu können. Die einschlägigen Heilmethoden dabei faßt folgender Spruch auf einer Mauer in Baden bei Wien zusammen: »Für unfruchtbare Frauen ist das Bad das Beste, Was das Bad nicht tut, das tun die Gäste.«

Landgraf Karl, der auch Hugenotten und Waldenser in und um Hofgeismar ansiedelte, ließ 1701 die Quellen erstmals fassen und begann so mit dem Ausbau des Badeortes.

Photo des pages précédentes: Château de Schönburg, Hofgeismar, Gesundbrunnen, Hesse. Ce bel édifice du début de la période classique (1790, architecte: Simon Louis du Ry) est le dernier des bâtiments construits à Hofgeismar pour la station thermale. Redécouvertes pendant la guerre de trente ans, les sources d'eau minérales ont été captées pour la première fois en 1701.

Photograph on the preceding pages: Schönburg Palace, Hofgeismar, Gesundbrunnen, Hesse. The fine early Classicist building (1790, architect: Simon Louis du Ry) was the last of the buildings for the state spa to be built in Hofgeismar. The mineral waters, rediscovered during the Thirty Years' War, were first piped in 1701.

© 1985 Sigloch Edition, Künzelsau
Nachdruck verboten. Alle Rechte vorbehalten.
Printed in Germany
Übersetzung ins Französische: Marlène Kehayoff-Michel
Übersetzung ins Englische: Desmond Clayton
Redaktionelle Betreuung und Bildtexte: Angelika Weigand
Layout: Günther Schmidt
Einbandgestaltung: Mathias Müller
Satz: Setzerei Lihs, Ludwigsburg
Reproduktionen: Otterbach Repro, Rastatt
Druck: Mairs Graphische Betriebe, Ostfildern
Papier: 150 g/qm BVS der Papierfabrik Scheufelen, Lenningen
Bindearbeiten: Buchbinderei Sigloch, Künzelsau und Leonberg
Auslieferung an den deutschen Buchhandel: Stürtz Verlag, Würzburg
ISBN 3 8003 0263 2

Attacken des Pomps

Ein Herbsttag in Hochglanz, wie aus dem Fremdenverkehrsprospekt. Vergoldete Wälder vor einem Himmel von mediterraner Bläue, saftig grüne Wiesen, der Flor rotleuchtender Geranien, die mit unverminderter Vehemenz aus den Blumenkästen der schmucken Bauernhäuser quollen, wiewohl die Bergkuppen hier im gesegneten oberbayerischen Pfaffenwinkel bereits mit duftigen Schneehäubchen den nahenden Winter anzeigten. Wir waren auf dem Wege nach Linderhof, dem liebsten Refugium Ludwigs II., dem einzigen der von ihm erbauten Schlösser, das vor seinem mysteriösen Tod im Starnberger See vollendet war. So schlimm könne Mitte Oktober, dazu an einem Wochentag, der Rummel wohl nicht mehr sein, hatten uns Freunde beruhigt. Die Reisezeit sei ja vorbei. Doch der weitläufige Parkplatz vor dem Schloß belehrte uns eines Schlechteren. Dichte Rudel von Autos, Omnibussen und Motorrädern aus aller Herren Länder, Haufen Volks im Park, die gefürchtete Schlange vor dem von Hermen behüteten Schloßportal. Je nun – jetzt waren wir schon mal da, reihten uns also ein, ließen uns mit der nächsten Führung geduldig durch die königlichen Gemächer bugsieren, die für einen solchen Massenansturm offensichtlich nicht eingerichtet waren. Deshalb wohl diese Kordeln, die den Strom der Schaulustigen kanalisieren, die Plastikfolien, welche die kostbaren Damaste der Sessel und die goldbestickten Gardinen vor Grapschern schützen, die Plexiglasschirme vor den vergoldeten Schnitzereien der Türen. Plexiglas selbst über den reizenden Malachittischchen im Thron-

Les assauts du faste

Un jour d'automne dans toute sa splendeur, comme sorti d'un dépliant touristique. Des forêts dorées sur un un ciel d'un bleu méditerranéen, des prés d'un vert vif, une débauche de géraniums d'un rouge lumineux qui éclate sans vergogne dans les jardinières accrochées aux coquettes maisons paysannes bien que les sommets des montagnes dans cette belle région de Haute-Bavière annoncent déjà, avec leur légères coiffes de neige, l'approche de l'hiver. Nous faisions route vers le Linderhof, la refuge préféré de Louis II de Bavière, le seul de ses châteaux qui ait été achevé avant sa mort mystérieuse dans le lac de Starnberg. Des amis nous avaient assuré qu'à la mi-octobre, et de surcroît un jour de semaine, il n'y aurait pas trop de touristes. La saison était d'ailleurs passée. Mais l'immense parking devant le château devait nous prouver le contraire. Des autos garées l'une à côté de l'autre, des autobus et des motos venus de tous les coins du monde, un tas de gens dans le parc, la queue redoutée devant le portail du château gardé par des hermès. Mais puisque nous étions là, nous attendîmes notre tour et nous laissâmes guider patiemment à travers les appartements royaux qui visiblement n'avaient pas été prévus pour une telle affluence. Ce qui explique les cordons qui canalisent le flot des curieux, les feuilles de plastique qui protègent des touchers intempestifs les précieux damas des fauteuils et les tentures brodées d'or, les écrans en plexiglas devant les sculptures dorées des portes. Du plexiglas également sur les ravissantes petites tables en malachite dans la salle du trône, un cadeau de la tsarine qui n'a-

Pomp and circumstance

A brillant autumn day, straight from a travel brochure: golden-leafed woods against a Mediterranean sky, lush green meadows, crimson geraniums still exploding from the flower boxes outside neatly-kept farmhouses, even though the first dusting of snow on the peaks rising behind this lovely south-west corner of Upper Bavaria announced the approach of winter. We were on the way to Linderhof, King Ludwig II's favourite refuge, the only one of the palaces he built which had already been completed before his mysterious death in Lake Starnberg. "There won't be many trippers in mid-October – especially on a weekday", was the assurance our friends had given us as we had set out. Holiday time was over, so it could not possibly be too bad. But the large parking lot in front of the palace already showed how mistaken we had been. A solid mass of cars, buses, and motor cycles from all over the place, the park teeming with people, and the notorious queue at the entrance decoratively guarded by herms. Oh well, having come, there was nothing for it but to bow to the inevitable. We queued, and finally joined the next jostling group to be guided through the royal apartments which were obviously not built to accomodate such crowds. That was why the cords were necessary to channel the spectators; and the plastic foil covering the precious damask on the chairs and the gold-embroidered curtains; and the plexiglass shields over the gilded carvings on the doors. There is even plexiglass on the charming little malachite tables in the Throne Room – a present from the Csarina in the vain hope of

5

saal, einem Geschenk der Zarin, die zwei unverheiratete Töchter dann doch nicht an diesen königlichen Mann bringen konnte. Armer Ludwig! Deine auf Souvenirs versessenen Besucher hatten sich nämlich schon wiederholt mit Taschenmessern an den Malachittischchen zu schaffen gemacht.

Geblendet von der maßlosen Pracht dieser Interieurs, eingeschüchtert von hochmütigen, Allmacht symbolisierenden Pfauen und zu Vorhängen verarbeiteten Hermelinen, von Spieglein an der Wand, welche die ausschweifenden Lüster in endlosen Fluchten von Scheinräumen vervielfachen, geneckt von Putten, entzückt und belustigt von dem versenkbaren Tischlein-deck-dich, das, vom Erdgeschoß aus bedient, dem melancholischen, menschenscheuen König den Anblick der Dienerschaft ersparte – leicht benommen von dieser totalen Attacke des Pomps, der uns aus allen Winkeln anfiel, fanden wir uns am Ende des Rundgangs wieder im Vestibül. Von seinem Bronzepferdchen aus sah Ludwig XIV., der von seinem bayerischen Namensvetter schwärmerisch verehrte Sonnenkönig, unerhört hoffärtig über das Getümmel der Jeans und Turnschuhe hinweg.

An die Renaissance erinnernde Terrassen im Park luden zum Rundblick ein. Wir schauten noch einmal zurück auf das Schloß, sahen sein ins Unwirkliche entrücktes Abbild auf dem spiegelblanken Teich, der die Farben gedämpft, die Konturen gleichsam mit dem Weichzeichner eingefangen hatte: So mochte er es erträumt haben, der nach Verlaine »einzig wahre König dieses Jahrhunderts, in dem Könige so wenig gelten«.

Leider hatte man über die Venusgrotte den von den Besucherscharen so eindrucksvoll widerlegten Saisonschluß verhängt. Wir verzichteten ungern auf einen Blick in diese künstliche Tropfsteinhöhle, wo sich der einsame König in seinem Muschelkahn an der Musik des glühend bewunderten Richard Wagner berauscht hat, an jenen orgiastischen Klangmalereien, in denen er seine phantastisch-romantische Welt wiederfand. Im Jahre 1868, also zwei Jahre vor dem ersten Spatenstich von Linderhof, hatte er dem Freund bereits von seinen weiteren Bauplänen berichtet, von Neuschwanstein, das ganz im Zeichen Wagners und jener heldischen Gestalten stehen sollte, die der Komponist zu neuem Leben erweckt hat: »Ich habe die Absicht, die

vait quand même pas pu marier l'une de ses deux filles à ce parti royal. Pauvre Louis! Tes visiteurs avides de souvenirs se sont déjà trop occupés de tes tables de malachite avec leurs couteaux de poche.

A la fin de la visite guidée, nous nous retrouvâmes dans le vestibule, éblouis par la magnificence démesurée de cet intérieur, intimidés par les paons symboles de la toute-puissance et les hermines transformées en tentures, par les miroirs qui multiplient à l'infini les lustres somptueux, taquinés par des amours, émerveillés et amusés par la table truquée qui, servie à partir du rez-de-chaussée, épargnait au mélancolique et timide roi la vue de ses serviteurs – un peu étourdis enfin par des assauts en règle du faste qui éclate de partout. Du haut de son cheval en bronze, Louis XIV, le Roi-Soleil tant vénéré par son homonyme bavarois, contemplait d'un air souverain cette foule en jeans chaussée de baskets.

Dans le jardin, les terrasses qui rappellent la Renaissance nous conviaient à faire un tour. Nous contemplâmes encore une fois le château et son reflet infini dans le plan d'eau qui en atténuait les couleurs et estompait les contours: c'est ainsi qu'il avait dû l'imaginer son château, celui qui, d'après Verlaine, fut «le seul vrai roi de ce siècle où les rois valent si peu».

Malheureusement, la grotte de Vénus était fermée. La saison était terminée pour elle bien que l'afflux de visiteurs attesta le contraire. C'est à regret que nous renonçâmes à jeter un coup d'œil dans cette grotte artificielle creusée dans la montagne où le roi solitaire s'était grisé, dans sa barque en forme de coquillage, de la musique de Richard Wagner qu'il admirait passionnément, de cette orgie de sons dans lesquels il retrouvait son monde fantastique et romantique. En 1868, soit deux ans avant que ne commencent les travaux de construction du Linderhof, il avait déjà informé son ami de ses futurs plans, la construction du Neuschwanstein, entièrement placé sous le signe de Wagner et de ces figures héroïques que le compositeur avait ressuscitées: «J'ai l'intention de faire reconstruire les vieilles ruines du château fort de Hohenschwangau au-dessus de la gorge de la Pöllat, dans le vrai style des anciens châteaux féodaux allemands. L'endroit est un des plus beaux qui soient, sacré et inaccessible, un temple digne de l'ami divin grâce auquel s'est

bringing about a union between the Bavarian prince and one of her two unmarried daughters. Poor Ludwig! But the plexiglass really is necessary: before it was there, some visitors, obsessed with the idea of obtaining a "genuine memento" had several times tried to chip pieces out of the little malachite tables.

Dazzled by the utter splendour of the interior, overawed by the arrogant peacocks, symbols of omnipotence, by the ermine curtains, by the mirrors on the wall infinitely multiplying the extravagant chandeliers, and creating the appearance of endless flights of rooms, teased by the cherubs, delighted and amused by the dining table that can be lowered into the room below for laying and clearing, designed to save the shy melancholy king the sight of his servants – slightly dazed by the accumulative effect of so much pomp, we finally discovered ourselves at the end of the tour and back in the vestibule. From the back of his bronze horse, Louis XIV, namesake of his enthusiastic Bavarian admirer, stared with unseeing courtliness past the teeming jeans and tennis-shoes.

The terraced park, reminiscent of Renaissance gardens, provides a panoramic view. We looked back again at the palace, saw its image mirrored in the ornamental pool, with the colours muted, the contours softened: that is the way, perhaps, that Ludwig dreamed it should be; Ludwig: the "only true king in a century in which kings count for so little" as Verlaine called him.

The Venus Grotto was unfortunately closed, because the season had finished – although you would never have thought so from the crowds. So we reluctantly had to do without a glance into the cavern with its artificial stalactites, where the lonely king drifted on the lake in a boat shaped like a conch shell, trembling with ectasy at music by Richard Wagner, whom he so passionately admired, drinking in those orgiastic sounds which echoed his own fantastic, romantic world. In 1868 – two years before work began on Linderhof – he had already informed his composer friend of his further building plans with regard to Neuschwanstein which was to be constructed wholly in the spirit of Wagner and those heroic characters that the composer had breathed new life into: "I intend to have the old ruined castle of Hohenschwangau above the Pöllat Gorge rebuilt in the true style of the

alte Burgruine Hohenschwangau über der Pöllatschlucht wieder aufbauen zu lassen, im echten Styl alter deutscher Ritterburgen. Der Punkt ist einer der schönsten, die zu finden sind, heilig und unnahbar, ein würdiger Tempel für den göttlichen Freund, durch den einzig Heil und wahrer Segen der Welt erblühte. ... Auch Reminiszenzen aus Tannhäuser und Lohengrin werden Sie dort finden.«
Die Vollendung Neuschwansteins hat Ludwig nicht mehr erlebt. Schon nach der ersten Begegnung mit dem Neunzehnjährigen hatte Wagner geäußert, der junge König sei leider so schön und geistvoll, seelenvoll und herrlich, daß er fürchte, sein Leben müsse in dieser gemeinen Welt wie ein flüchtiger Göttertraum zerrinnen ... Heute muten uns diese Worte prophetisch an.

épanoui l'unique salut et la véritable bénédiction du monde ... Vous y trouverez également des réminiscences de Tannhäuser et de Lohengrin.» Louis n'a plus vécu l'achèvement du Neuschwanstein. Dès sa première rencontre avec le roi de dix-neuf ans, Wagner avait dit que malheureusement le jeune souverain était si beau, si spirituel, si chaleureux qu'il craignait que, dans ce monde vulgaire, sa vie ne s'écoule comme un rêve divin éphémère. Des paroles qui ont aujourd'hui des accents de prophétie.

old German chivalric castles. The site is one of the most beautiful to be found, sacred and unapproachable, a worthy temple for my divine friend who has given the world salvation and blessing ... You will also find reminiscences of Tannhäuser and Lohengrin there." Ludwig did not live to see the completion of Neuschwanstein. After his first encounter with the nineteen-year-old king, Wagner had said that he was unfortunately so handsome and intelligent, spiritual and magnificent that he feared that he was not meant long for this vulgar world, but would fade away like a divine, passing, dream. Today these words seem like a prophecy.

Zehntausend Besucher an einem Tag

Neuschwanstein, die »bayerische Wartburg«. Der Ort ist ein Aushängeschild für das Reiseland Bayern. Pilger aus aller Welt strömen hier zusammen, in der Hochsaison zwischen Ende Mai und September bis zu zehntausend an einem Tag, weit über eine Million im Laufe des Jahres. An Spitzentagen seien Personal und Gebäude völlig überfordert, gesteht der Schloßverwalter. Siebzehn Beamte und Angestellte leisten hier Dienst am Fremdenverkehr, im Sommer kommen noch ein Dutzend Aushilfskräfte hinzu. In den letzten Jahren wurde der Zugang zum Schloß, durch den sich die Kommenden und Gehenden aneinander vorbeizwängen mußten, zu einem Problem, das immer dringender nach einer Lösung verlangte. Jetzt hat man Abhilfe geschaffen: Ein neu angelegter Tunnel läßt den Menschenstrom neben der Küche in einen unterirdischen Gang abfließen. Eingang und Ausgang sind endlich voneinander getrennt.

Ludwig hat sich ein Leben lang an der Trivialität des bürgerlichen Zeitalters wund gerieben. Man hat ihm maßlose Verschwendungssucht vorgeworfen. In der Tat waren die königlichen Schatullen infolge seiner Bauleidenschaft und seines unersättlichen Verlangens nach Luxus meist leer. Galt es, sie wieder aufzufüllen, war der romantische Ludwig nicht gerade zimperlich. So ließ er sich denn auch von Bismarck, der ihn übrigens schätzte, seine Zustimmung zur Proklamation des preußischen Königs zum deutschen Kaiser mit stattlichen Summen aus dem Reptilienfonds honorieren.

Manche sagen Ludwig nach, er habe im

Dix mille visiteurs par jour

Neuschwanstein, la «Wartburg bavaroise». L'endroit est une véritable enseigne pour la région touristique qu'est la Bavière. On y vient du monde entier: en pleine saison, entre la fin mai et le mois de septembre, on compte jusqu'à dix mille visiteurs par jour, soit plus d'un million dans l'année. Les jours de pointe, le personnel et les bâtiments sont absolument débordés, reconnaît l'administrateur du château. Dix-sept fonctionnaires et employés sont ici au service des touristes et sont secondés en été par une douzaine d'auxiliaires. Ces dernières années, l'accès au château par lequel les visiteurs qui y allaient et ceux qui en revenaient devaient se frayer un passage est devenu un problème de plus en plus urgent qui exigeait une solution. Aujourd'hui, on a trouvé un remède: un tunnel nouvellement aménagé laisse s'écouler le flot des visiteurs à côté des cuisines dans un passage souterrain. L'entrée et la sortie sont enfin séparées l'une de l'autre.

Toute sa vie, Louis II s'est heurté à la banalité de l'époque bourgeoise. On lui a reproché un gaspillage démesuré. En fait les caisses royales étaient généralement vides à cause de sa passion de construire et de son désir de luxe insatiable. Et lorsqu'il s'agissait de les remplir, le romantique Louis ne s'embarrassait pas de procédés. C'est ainsi qu'il se fit attribuer par Bismarck, qui d'ailleurs le tenait en estime, des sommes importantes sur des fonds secrets en récompense de son accord donné à la proclamation du roi prussien comme empereur allemand.

D'aucuns disent de Louis II qu'il n'a en réalité

Ten thousand visitors a day

Neuschwanstein, the "Bavarian Wartburg", has become an emblem of Bavaria as a holiday land. Pilgrims stream here from all over the world: as many as ten thousand a day in the high season between the end of May and September, far more than a million a year. The castle administrator admits that his staff and the buildings are completely overtaxed on the main visiting days. Seventeen officials and employees are on the regular staff, a dozen temporaries are taken on in the summer. In recent years, the approach to the castle, where arriving and departing visitors had to squeeze past one another, became more and more of a problem. This has now been solved by the construction of a tunnel next to the kitchen through which the departing crowds can be vented through a subterranean passageway. Entrance and exit are now separate.

Throughout his life, Ludwig struggled against the triviality of the bourgeois age in which he lived. He was accused of excessive extravagance, and it is true that the royal coffers were mostly empty as a result of his passion for building and his insatiable desire for luxury. When it was a question of filling the coffers again, the romantic Ludwig was not exactly squeamish. Thus he accepted considerable sums from Bismarck (who, by the way, respected Ludwig), taken from the Chancellor's secret political funds, in return for agreeing to the proclamation of the Prussian king as emperor.

Some say that Ludwig basically achieved nothing that could anything like measure up to his delusional ideas concerning his own

Grunde nichts geleistet, was dem ins Wahn-hafte überhöhten Anspruch an sich selbst, an die Idee des Gottesgnadentums auch nur im entferntesten entspräche. Da tun sie ihm unrecht. Mal abgesehen von seinem großmütigen Einsatz für Richard Wagner – ohne ihn gäbe es heute keine Bayreuther Festspiele! – sollte man seine Vorsorge für den bayerischen Fremdenverkehr nicht unterbewerten: Im nachhinein erweisen sich die Baukosten von 6,2 Millionen Gulden für Neuschwanstein als goldrichtige Investition. Sie werfen noch immer steigende Gewinne ab, bilden heute die Haupteinnahmequelle der »Bayerischen Verwaltung der staatlichen Schlösser, Gärten und Seen«. Noch kürzlich sagte ein Besucher, offensichtlich ein Mann rascher Entschlüsse mit einem Blick für Okkasionen: "I like it. How much is it?" Vielleicht liebäugelte er gar mit dem Gedanken, Neuschwanstein über den großen Teich zu verfrachten.

US-Amerikaner stellen den Löwenanteil der ausländischen Besucher des Schlosses, nicht nur in Zeiten eines besonders günstigen Dollarkurses. Hier irrte Goethe wieder einmal, als er reimte:

> Amerika, du hast es besser,
> als unser Kontinent, der alte,
> hast keine verfallenen Schlösser
> und keine Basalte.

Nein, nein – da sind die Amerikaner offenbar ganz anderer Meinung. Sie sehnen sich nach verfallenen Schlössern und Basalten, nach einem Disneyland für Fortgeschrittene. Sie fühlen sich hingezogen zu unserem alten Kontinent, finden die Loire-Schlösser und Alt-Heidelberg, Wien, Florenz und den Escorial einfach wundervoll. Vor allem Neuschwanstein, das jüngst in Gestalt einer Vorlage für ein Puzzlespiel auch als Wandschmuck schon viele Liebhaber gefunden haben soll – sogar in Rotchina.

Schlösser als Magneten des Massentourismus? Diese unerhörte Anziehungskraft auf Menschen heterogener Kulturkreise, auf jung und alt, Vertreter aller sozialen Schichten und unterschiedlichsten Bildungsgrades – worauf mag sie beruhen? Da gibt es ein ganzes Bündel von Motiven. Mit quälendem Wissensdurst, einer Explosion geschichtlicher und kunsthistorischer Interessen dürfte eine derartige Invasion kaum hinreichend zu erklären sein. Immerhin hat die Freude an kostbaren alten Dingen seit der Nostalgiewelle der

rien fait qui corresponde même de loin à ses prétentions qui frisaient la folie. Ils ont tort. Outre sa généreuse intervention en faveur de Richard Wagner – sans lui le festival de Bayreuth n'existerait pas! – il ne faut pas sous-estimer ce qu'il a fait pour le tourisme bavarois: après coup les frais de construction de 6,2 millions de gulden pour le Neuschwanstein se sont avérés un investissement très rentable. Ils rapportent des bénéfices toujours croissants, constituent aujourd'hui la principale source de revenus de l'«Administration bavaroise des châteaux, jardins et lacs publics». Récemment encore, un visiteur – apparemment un homme de décision rapide qui avait le coup d'œil pour les occasions, disait: «I like it. How much is it?» Peut-être caressait-il l'idée de transporter le Neuschwanstein outre-Atlantique.

Les Américains représentent le gros des visiteurs étrangers du château et pas seulement dans les périodes où le dollar est fort. Une fois de plus, Goethe se trompait lorsqu'il disait:

> «Amérique, tu as plus de chance
> que notre vieux continent,
> tu n'as pas de châteaux en ruines
> et pas de basalte non plus.»

De toute évidence, les Américains sont d'un autre avis. Ils rêvent de châteaux en ruines et de basalte, d'un Disneyland pour adultes. Ils se sentent attirés par notre vieux continent, trouvent tout simplement merveilleux les châteaux de la Loire et le vieil Heidelberg, Vienne, Florence et l'Escorial. Et surtout le Neuschwanstein qui, depuis peu, sous la forme d'un puzzle, a trouvé bien des amateurs et sert ainsi de décoration murale jusqu'en Chine même, dit-on.

Les châteaux, aimants du tourisme de masse? Sur quoi peut bien reposer cet attrait incroyable qu'ils exercent sur des personnes de milieux culturels hétérogènes, sur les jeunes et les vieux, les représentants de toutes les couches sociales et de niveaux culturels les plus divers? Il y a là toute une série de raisons. Car une telle invasion ne peut s'expliquer uniquement par une soif intense de savoir, une explosion d'intérêts historiques et artistiques. Quoiqu'il en soit, depuis la vague de nostalgie apparue au début des années soixante-dix, le plaisir procuré par les objets anciens et précieux a touché des couches de plus en plus larges. Luxe, richesse, conte de fées, romantisme, puissance, élégance, histoire – ce sont

person, or his belief in the divine right of kings. But they do him an injustice. Quite apart from his magnanimous support of Richard Wagner – without which there would have been no Bayreuth Festival today! – the importance of the groundwork he put in for the Bavarian tourist trade should not be underestimated: with hindsight it is clear that the 6.2 million gold guilders for Neuschwanstein were a very wise investment. The return on the capital sum increases steadily, and forms the main source of income for the "Bavarian Administration of the State Palaces, Gardens, and Lakes". Only recently one visitor, obviously a man used to making quick decisions, and with an eye for a bargain, said, "I like it. How much is it?" Perhaps he was even toying with the idea of transporting the whole castle brick by brick across the Atlantic.

The majority of the foreign visitors to Neuschwanstein are Americans, and not only at times when the exchange rate favours the dollar. Goethe was wrong when he penned the lines:

> America, you are better off
> than our old continent.
> You have no ruinous castles,
> no crumbling stones.

No, no – the Americans feel quite differently about it. They yearn for ruinous castles and crumbling stones, feel drawn to our old continent, as if to a Disneyland for the advanced. They find the Loire châteaux, and Old Heidelberg, Vienna, Florence, and the Escorial "simply wonderful". And one of their favourites is Neuschwanstein – recently the subject of a jig-saw puzzle which, when complete, can be hung on the wall as a picture, and which has proved extremely popular even as far away as Communist China.

Castles as magnets for mass tourism? What is the explanation for the extraordinary attraction they exert on people of the most diverse cultures, on young and old, representatives of all social classes and levels of education? The explanation is a complex one, for the enjoyment of beautiful old things has become so much more widespread among very large sections of the general public since the wave of nostalgia which swept the West at the beginning of the 1970's that this cannot be simply the result of a fervent desire for knowledge or a burning interest in the history of art.

frühen siebziger Jahre breiteste Kreise erfaßt. Pracht, Reichtum, Märchen, Romantik, Macht, Eleganz, Geschichte – das sind spontane Assoziationen, die das Wort »Schloß« in uns auslöst. Sie wecken die kindliche Sehnsucht nach einer Märchenwelt, nach dem Glanz des Unwirklichen, nach dem Luftschloß. In Märchen, diesen in moralische Geschichten verpackten Trivial-Mythen, ähnlich in der Unterhaltungsliteratur und in der Operette, ist ja das Schloß eine beliebte Kulisse, vor der alle Konflikte eine glückliche Lösung finden: Das tapfere Schneiderlein bekommt die Königstochter zur Frau, der Froschkönig wird erlöst, das verzauberte Dornröschen wachgeküßt, der schöne junge Prinz führt das Aschenputtel zum Traualtar. Doch nicht nur Glück und Glanz sind in diesen Phantasiepalästen zu Hause. Auch für eine fesselnde Darstellung des Bösen, Unheimlichen scheinen sie wie geschaffen. In Gespenstergeschichten geistern in ihnen weiße Frauen umher, meistens Berta benamst, wallen in eleganten schemenhaften Gewändern durch endlose Gänge und finstere Verliese. Vor allem angelsächsische Autoren haben seit eh und je romantisch gelegene Schlösser als Schauplätze für ihre Kriminalromane und Gruselstories gepachtet.

Einblick in die private Sphäre der Mächtigen, möge auch ihre Zeit vergangen sein, befriedigt jene Voyeursgelüste, denen die Regenbogenpresse gewaltige Auflagen dankt. Nicht zu vergessen den Nervenkitzel des historischen Tatorts! Wer etwa in Blois erlebt hat, wie der Schloßführer im Stil einer Moritat eine der dramatischsten Szenen der französischen Geschichte, die auf Geheiß Heinrichs III. erfolgte Ermordung des Herzogs Heinrich von Guise, so ausmalt, daß man es förmlich dampfen sieht, das blaue Blut auf dem Boden des königlichen Arbeitszimmers, der wird das bezeugen.

Schließlich bestätigt sich hier wieder einmal ein bekanntes Phänomen: Menschen jeder kulturellen Spätzeit sehen sich nach der Vergangenheit um, wohl in der intuitiven Hoffnung, aus der Rückschau auf die verlorene Vitalität neue Kräfte zu gewinnen. In der spätrömischen Ära war Troja das große Reiseziel.

là des associations spontanées que déclenche en nous le mot «château». Elles éveillent notre désir d'enfant d'un monde féerique, d'irréel, de châteaux en Espagne. Dans les contes – ces mythes triviaux enveloppés dans des histoires morales – de même que dans la littérature divertissante et l'opérette, le château constitue une toile de fond de choix devant laquelle toutes les situations conflictuelles trouvent une solution heureuse: le brave petit tailleur épouse la fille du roi, le roi-grenouille est délivré, la belle au bois dormant est réveillée par un baiser, le jeune et beau prince mène Cendrillon à l'autel. Mais ces palais de fantaisie n'abritent pas seulement le bonheur et la splendeur. Ils semblent également créés tout exprès pour une représentation captivante du mal, du mystère. Dans les histoires de fantômes, ils sont hantés par des dames blanches, qui répondent généralement au prénom de Berthe, qui glissent, habillées d'élégants vêtements aériens dans des couloirs sans fin et de sombres oubliettes. Les écrivains anglo-saxons surtout ont de tous temps choisi des châteaux romantiques comme théâtre de leurs romans policiers et de leurs histoires d'épouvante.

Un coup d'œil sur la vie privée des puissants, même s'ils ne sont plus de ce monde, satisfait ce goût du voyeurisme auquel la presse du cœur doit ses forts tirages. Et puis il y a les frissons que procure la visite de lieux historiques. Celui qui a, par exemple, visité Blois, qui a entendu le guide du château raconter de façon à faire frémir une des scènes les plus dramatiques de l'histoire de France – l'assassinat du duc de Guise sur les ordres d'Henri III –, la décrire de telle sorte que l'on croit voir littéralement le sang bleu fumer sur le sol du cabinet royal, celui-là pourra l'attester.

Enfin, un phénomène connu se trouve une fois de plus confirmé ici: les hommes cherchent à retrouver le passé, sans doute avec l'espoir intuitif de puiser de nouvelles forces dans cette rétrospection, cet examen de la vitalité perdue. A la fin de l'époque romaine, Troie était le grand but des voyages.

Riches, splendour, fairytales, romance, power, elegance, history – these are spontaneous associations stimulated by the word "palace" or "castle" which awaken a childlike longing for a fairytale world, for the glamour of the unreal, for castles in the air. In fairytales – the trivial myths of our childhood with a moral – and, similarly, in light literature and in operettas, the palace is a popular background against which all conflicts are happily resolved: the intrepid little tailor marries the princess, the frog is turned back into a prince, the Sleeping Beauty is awakened with a kiss, Cinderella gets her prince. But these imaginary palaces do not only provide scope for happiness and splendour: they also make ideal backdrops for descriptions of things evil or uncanny. In ghost stories they are thronged with women in flowing white robes, floating through endless corridors and gloomy dungeons. Anglo-Saxon authors in particular, have always used romantically-situated palaces and castles as the settings for their detective stories and thrillers.

A glimpse into the private sphere of the powerful, even if they are long-since dead, satisfies the voyeur in many readers, one of the factors to which the cheap periodicals owe their huge circulations. Then there is the thrill of visiting the historical scene of the crime. Anyone who has been to Blois, for example, and listened to the guide telling, in ballad-style, one of the most dramatic events of French history – the murder of the Duke de Guise on the orders of Henry III – and heard him piling on the details until one can really almost see the steaming blue blood spilled all over the floor of the royal study, will confirm this.

And, finally, there is the well-known phenomenon that people of every late cultural epoch tend to turn to the past, presumably with the intuitive hope of reviving lost powers by looking at departed vitality. In the late Roman era, Troy was the most popular tourist attraction!

▶ **Schloß Hohenschwangau** bei Füssen, Allgäu. »Wir bringen hier unsere Vakanz recht angenehm zu und benützten die schönen Tage teils zu Ausflügen, teils zum Fischen im Alpsee, dessen klares, mildes Wasser uns auch zum Schwimmen sehr angenehm ist...«, schreibt der 15jährige Kronprinz Ludwig über den Sommeraufenthalt in Hohenschwangau. Es ist für ihn nicht nur eine Begegnung mit der Bergwelt, sondern auch mit der Geschichte, die prägend für sein ganzes Leben wurde.
Die Herren von Schwangau waren im Mittelalter Lehensleute von Staufern und Welfen. Mit dem Aussterben des Geschlechtes im 16. Jahrhundert wechselten die Besitzer der Burg, und als Kronprinz Maximilian von Bayern die Burg kennenlernte, war sie eine Ruine: Im Tirolkrieg 1809 hatte sie schwere Schäden erlitten. Maximilian ließ die Burg dann ab 1833 ganz im Geiste der romantischen Begeisterung für das Mittelalter wieder aufbauen, wobei ihre Anlage im wesentlichen beibehalten, aber gotisch verziert wurde. Im Innern aber auf Schritt und Tritt Bilder aus Geschichte und Sage. Hier begegnete Maximilians Sohn Ludwig, später König von Bayern, auch dem Schwanenritter Lohengrin, und seine Begeisterung für Wagners Opern ist sozusagen schon vorprogrammiert. Die Grenzen zwischen den Träumen des Märchenkönigs und der Wirklichkeit scheinen zu verfließen, wenn (an seinem Geburtstag 1864) Lohengrin, dargestellt vom Prinzen Paul von Thurn und Taxis, in einem von Ketten gezogenen Schwan über den Alpsee auf Hohenschwangau zu gleitet, wo ihn Ludwig und Wagner erwarten.

▶ **Château de Hohenschwangau** près de Füssen, Allgäu. A partir de 1833, Maximilien de Bavière a fait reconstruire en style néo-gothique un château féodal tombé en ruine et qui avait servi de résidence au moyen âge aux vassaux des Hohenstaufen et des Guelfes. Devenu roi, il passa souvent l'été avec sa famille au château de Hohenschwangau. Ces séjours laissèrent à son fils Louis, le futur «roi de contes de fées», des impressions durables.

▶ **Hohenschwangau Palace,** near Füssen, Allgäu. Maximilian of Bavaria had the ruined castle of Hohenschwangau, which had been the seat of vassals of the Hohenstaufens and Guelphs in the Middle Ages, rebuilt in the neo-Gothic style from 1833. After ascending the Bavarian throne he often spent the summers here with his family. His son, Ludwig, the later "fairytale king" spent formative holidays here.

▶ **Schloß Herrenchiemsee,** Chiemgau, Oberbayern. Neues Schloß. Wie einem solchen Bauwerk gerecht werden, wo es doch schon abgetan ist als phantastische Ausgeburt eines wahnsinnigen Königs?

Versuchen wir Pluspunkte für ihn zu sammeln: Der »Märchenkönig« Ludwig II. hat die Insel vor dem völligen Kahlschlag bewahrt. 2,5 Kilometer lang und 2 Kilometer breit, über tausend Jahre Sitz eines Männerklosters, 1803 säkularisiert, war die Insel nach wechselnden Besitzern nämlich in die Hände von Holzspekulanten geraten. Grundsteinlegung zum neuen Schloß: 1878.

»Märchenkönig« Ludwig hatte einen Traum, eine fixe Idee, und zunächst einmal auch die Möglichkeiten und das Geld, seinen Traum zu realisieren. Das Bauwerk ist getragen von der Idee eines idealen Königtums nach dem Vorbild von Frankreichs Sonnenkönig, und die Bauarbeiten wurden von Ludwig mit Vehemenz und Energie vorbereitet und vorangetrieben. Aber darin unterscheidet er sich eigentlich gerade nicht von solchen von der Bauwut besessenen Fürstbischöfen wie den Schönborns und von den prunksüchtigen Barockfürsten.

Ein ganzes Heer von Künstlern und Kunsthandwerkern arbeiteten an der Realisierung des Traumes – wird diese Arbeit aber weniger wertvoll, wenn sie für einen als prunksüchtig bezeichneten Auftraggeber gefertigt wurde?

Nur die Zeit spricht gegen den Märchenkönig. Auf dem Chiemsee fuhren schon Dampfschiffe, die er nicht sehen wollte, die wenigen Male, die er in seinem Schloß war. Und konnten es im Barock nicht genug Diener sein, die dem Potentaten jede Bewegung abnahmen, so ließ sich Ludwig ein »Tischlein-deck-dich« konstruieren, das ihm den Anblick der Dienerschaft ersparte.

Noch eine letzte Frage: die unzähligen Touristen – ist es nicht ein ebenso unzeitgemäßer Traum, der sie in Massen zu Ludwigs Schlössern zieht?

▶ **Château de Herrenchiemsee,** Chiemgau, Haute-Bavière. Le nouveau château. Avec ce château (construit de 1878 à 1886 mais resté inachevé), Louis II de Bavière, le «roi de contes de fées», a voulu rendre hommage au Roi-Soleil. Il avait été lui-même à Versailles et y avait également envoyé des architectes et des artistes afin qu'ils étudient le modèle sur place.

▶ **Herrenchiemsee Palace,** Chiemgau, Upper Bavaria. The New Palace. This palace (built 1878–1886 by Ludwig II of Bavaria, but not finished) is a monumental declaration of the "fairytale" king's admiration for Louis XIV of France. Ludwig specially went to Versailles (on which Herrenchiemsee is modelled), and sent architects and artists there to study the palace.

◀ **Schloß Blutenburg,** München, Oberbayern. Die Geschichte der Blutenburg ist eng verbunden mit Herzog Albrecht III. von Bayern und seinem Sohn Sigismund. Albrecht hat sich heimlich mit der schönen Agnes Bernauer vermählt, und weil nicht sein kann, was nicht sein darf, läßt sie sein Vater in Abwesenheit des Sohnes 1435 gefangennehmen und als Hexe von der Straubinger Donaubrücke in den Fluß werfen. Aus Rache zieht der Sohn gegen ihn zu Felde, heiratet aber dann doch schon 1436 die standesgemäße Anna von Braunschweig. In diesen Jahren, von 1435 bis 1439, läßt er sich das alte Jagdschlößchen an der Würm vollständig erneuern. Von ihm soll auch der Name Pluedenburg, von den Blüten, stammen. Sein Sohn Sigismund machte das Schloß gar zum Mittelpunkt seiner Hofhaltung und zum Treffpunkt der besten Künstler jener Zeit. Die 1488 erbaute Schloßkapelle mit ihren wertvollen Holzfiguren und Glasgemälden ist eine Frucht dieser Blütezeit. Mit Sigismunds Tod 1501 war der Frühling von Blütenburg vorbei.

◀ **Château de Blutenburg** à Munich, Haute-Bavière. Quatre tours octogonales, la tour du corps de garde et les murs sont des vestiges des fortifications qui entouraient jadis cette maison seigneuriale, un castel d'eau. Les ducs bavarois Albrecht III et Sigismund le transformèrent au 15ᵉ siècle en pavillon de chasse.

◀ **Blutenburg Palace,** Munich, Upper Bavaria. Four octagonal towers, a gatehouse tower, and the walls are the remains of fortifications that once protected this moated house. The Bavarian dukes, Albrecht III and Sigismund, converted it into a hunting lodge in the 15ᵗʰ century.

▶ **Schloß Haimhausen** bei München, Oberbayern. Wegen der Rolle, die Max Emanuel von Bayern im Spanischen Erbfolgekrieg spielte, mußte er mehrere Jahre ins Exil nach Frankreich. Von dort brachte er einen Kammerzwerg mit: François Cuvilliés aus Soignies. Er ließ ihn in Paris ausbilden, und aus Cuvilliés wurde einer der bekanntesten Baumeister des Rokoko. Neben Amalienburg in München, Schloß Augustusburg in Brühl und Schloß Wilhelmsthal bei Kassel hat Cuvilliés auch für die Reichsgrafen von Haimhausen deren Schloß aus dem 17. Jahrhundert umgebaut (1747). Der Unterschied zwischen den zum Hofadel gehörenden Grafen und dem Kurfürsten mußte zwar gewahrt bleiben, auch baulich. Aber gerade die verhaltene Eleganz in der Dekoration des Haimhausener Schlosses, die klare, ruhige Gliederung der Fensterreihen, die originellen Dachgaupen und die Freitreppe in der Gartenfront zeigen doch unverkennbar das meisterliche Können seines Architekten.

▶ **Château de Haimhausen** près de Munich, Haute-Bavière. François de Cuvilliés qui, de nain à la cour de l'Electeur de Bavière Max Emmanuel, devint son architecte a, outre le château d'Amalienburg à Munich, le château d'Augustusburg à Brühl et le château de Wilhelmsthal près de Kassel, également transformé en 1747 le château des comtes impériaux de Haimhausen. Avec très peu d'ornements, il a créé un édifice d'une sobre élégance.

▶ **Haimhausen Palace** near Munich, Upper Bavaria. François Cuvilliés, who advanced from the position of Court Dwarf to become architect to the Bavarian Elector Max Emanuel, is famous for many great buildings, such as Amalienburg Palace in Munich, Augustusburg Palace in Brühl, and Wilhelmsthal Palace near Kassel. In 1747 he also rebuilt Haimhausen for the Imperial Counts of the same name, creating a building of restrained elegance by frugal use of decorative elements.

16

▶ **Schloß Schleißheim** bei München, Oberbayern. »Es war ein genußreicher Tag, den wir gestern in und bey Schleißheim zubrachten. Der königliche Sommerpallast, die Bildergallerie, die Oekonomie der königlichen Schwaige, und die neu gegründete Stahlfabrik in der Nähe, waren für uns äußerst anziehende Gegenstände. Die Straße dahin ziehet durch einen Wald, der das prächtige Schloß lange schon durchblicken läßt, bevor man bay demselben ankommt. Schleißheim, von München starke zwey Stunden entfernt, ist in seiner weit ausgebreiteten Flur situirt, die allenthalben vom Walde umgeben ist.« So erlebte es ein Josef von Obernberg im Jahre 1817. Heute hat die Betriebsamkeit und die Hektik der Großstadt München die Ruhe von Schleißheim längst eingeholt.

Eine Parallele zur heutigen Zeit hat Schleißheim aber doch: Im Hinblick auf die Baugeschichte könnte man das Schloß nämlich als Bauruine des 18. Jahrhunderts bezeichnen, ein großartig geplantes Projekt, begonnen, aber nicht vollendet. Was hätte sein sollen nach dem Willen des Kurfürsten Max Emanuel? Zunächst ein großer Lustgarten, für den man von Würm und Isar her ein kilometerlanges Kanalsystem bauen wollte. Arbeitskräfte standen dafür ausreichend zur Verfügung, denn Max Emanuel hatte aus dem Krieg gegen die Türken unter Prinz Eugen nicht nur Ruhm und Beute mitgebracht, sondern auch Gefangene. Trotzdem wurde nur ein Teil des Kanals verwirklicht. Das Schlößchen Lustheim wurde fertig, aber der 1701 begonnene Bau des Neuen Schlosses wurde drei Jahre später durch den Spanischen Erbfolgekrieg und das mehrjährige Exil Max Emanuels unterbrochen und 1719 nur das bereits Begonnene, nämlich der Ostflügel, fertiggestellt, nach französischem Vorbild unter dem Baumeister Joseph Effner. Gerade daran wird deutlich, wie groß das Ganze eigentlich werden sollte. Max Emanuel starb, und seine Nachfolger hatten weder das ausreichende Geld noch das Interesse für Schleißheim. Die Inneneinrichtung wurde nicht fertig, und das Schloß diente dann als Galerie.

▶ **Château de Schleissheim** près de Munich, Haute-Bavière. Quand on songe que ce château n'est que l'aile gauche de l'édifice conçu par le prince électeur Max Emmanuel, on a une idée de l'importance qu'il aurait eue si la guerre de succession espagnole et les années d'exil du prince électeur n'étaient venues interrompre les travaux en 1704. En 1719, on acheva uniquement ce qui avait été commencé.

▶ **Schleissheim Palace** near Munich, Upper Bavaria. The fact that this palace is only the east wing of the complex planned by Elector Max Emanuel but never completed, makes it clear how large it would have become – if the building work had not been interrupted in 1704 by the War of the Spanish Succession and a number of years spent by the Elector in exile. What had already been started was, however, completed in 1719.

◀ **Schloß Nymphenburg,** München, Oberbayern. Dieses Schloß, in mehreren Bauabschnitten zwischen 1664 und 1728 errichtet, war zu Beginn ein Sommerschloß, ganz nach italienischen Vorbildern geschaffen. Der alles in Europa überstrahlende Glanz des Versailler Schlosses führte auch in Nymphenburg dazu, daß Erweiterungsbauten und Parkensemble nach dem großen französischen Muster ergänzt und neugestaltet wurden. So ließ Kurfürst Max Emanuel von Bayern die große Anlage mit verspielten und kostbar ausgestatteten Schlößchen en miniature im weiten Park ergänzen. Es entstanden 1716–1719 die Pagodenburg, teilweise mit Delfter Kacheln ausgekleidet und im berühmten chinesischen Salon mit verspielten Chinoiserien luxuriös gestaltet, die Badenburg 1718–1721, mit einem zweigeschossigen Hallenbad eingerichtet – auch für die barocke Zeit, in der Außergewöhnliches oft alleiniges Maß der Dinge war, eine aufsehenerregende technische Sensation. Kurfürst Karl Albrecht fügte später, 1734–1739, die Amalienburg hinzu, erbaut von François Cuvilliés, ein Jagdschlößchen, das als Deutschlands schönstes Rokokoschlößchen gilt. Beim ausgeprägten Hang barocker Fürsten fürs Monumentale erstaunt es nicht, daß ursprünglich sogar geplant war, die weit voneinander entfernten Schlösser Nymphenburg und Schleißheim durch ein kilometerlanges Kanalsystem zu verbinden, ein Plan, der wahrscheinlich aus Kostengründen nie ganz verwirklicht wurde. Ab 1761 wurde im Nymphenburger Schloß ein Pavillon für die später weltbekannte Porzellanmanufaktur eingerichtet.
Zu Beginn des 18. Jahrhunderts erhielt der große Garten seine Neugestaltung, in Anlehnung an die großen englischen Parklandschaften, das geometrische Zeremoniell kunstvoller Blumenbeete wurde ersetzt durch großzügige und lockere Baumbepflanzung, mit natürlich wirkenden kleinen Teichen und Seen.

◀ **Château de Nymphenburg** à Munich, Haute-Bavière. Ce château a été érigé entre 1664 et 1728, au début d'après un modèle italien mais par la suite complété et agrandi dans le style du château de Versailles. De ravissants pavillons sont disséminés dans le grand parc. Citons par exemple le Pagodenburg – un ravissant petit édifice octogonal – ou le Badenburg, un pavillon de bains à deux étages. L'Amalienburg passe pour être le plus joli pavillon de chasse du rococo en Allemagne. Il a été construit de 1734 à 1739 par l'architecte François de Cuvilliés.

◀ **Nymphenburg Palace,** Munich, Upper Bavaria. Built between 1664 and 1728, Nymphenburg was at first based on Italian models, but has later additions and extensions entirely inspired by Versailles. The large park contains a number of delightful miniature palaces, such as the Pagodenburg, with Chinese motifs, or the Badenburg, a bathing pavilion containing a two-storey indoor pool. The Amalienburg, regarded as the finest Rococo hunting lodge in Germany, was designed by François Cuvilliés, and built in 1734–1739.

▶ **Schloß Freudenhain** bei Passau, Niederbayern. Kurz vor Torschluß – das ist die Säkularisation im Jahre 1803, bei der die geistlichen Besitztümer verweltlicht wurden – ließ sich der Fürstbischof von Passau, Kardinal Graf Auersperg, noch einen Sommersitz, ein Gartenschloß errichten. Es gilt als eines der bedeutendsten frühklassizistischen Schloßbauten in Altbayern – wegen der Noblesse, der klassischen Gliederung: Pilaster, Mansarddach, Vorhalle mit Bögen. In diese Vorhalle konnten die Kutschen auf der einen Seite hineinfahren über die leicht geschwungene Auffahrtsrampe, Fürstbischof oder Gäste direkt vor dem Eingang abladen und auf der anderen Seite über die genau gleich geschwungene Rampe wieder hinausfahren.
Zu dem Schloß gehört noch ein Garten im englischen Stil, also unregelmäßig, künstlich-natürlich mit Wasserfällen, Grotten, kleinen Bauten. Das war der »Hain der Freunde«. Das Schloß hieß danach ursprünglich auch »Freudenhain« und wurde erst später umbenannt.

▶ **Château de Freudenhain** près de Passau, Basse-Bavière. Le prince évêque de Passau s'est fait construire cette résidence d'été peu avant la sécularisation de 1803. L'édifice bâti dans le style du débuts du classicisme est entouré d'un jardin de style anglais avec des cascades, des grottes et différentes petites constructions.

▶ **Freudenhain Palace** near Passau, Lower Bavaria. The Prince Bishop of Passau had this summer palace built just before the secularization of 1803. The early Classicist building is set in an English-style park with waterfalls, grottoes and a variety of buildings.

◀ Oberes Schloß in Arnstorf, Niederbayern. Einen Wassergraben und einen Innenhof mit Arkaden, das hat so mancher Adelssitz. Was aber hebt dieses Schloß aus dem üblichen, dem provinziellen Rahmen heraus? Es ist vor allem der Kaisersaal im zweiten Obergeschoß. Ein Festsaal in hochbarocker Ausstattung, das ist selten in dieser Gegend. Der Schloßherr, ein Freiherr von Closen, dessen Familie seit dem Mittelalter hier ansässig war, ließ den Turm erkerartig ausbauen und den ganzen Raum von dem Maler Melchior Steidl mit seinen Gestalten aus der Mythologie überziehen. Das war 1714. Der Grund für diese Aktivitäten soll angeblich ein Besuch Kaiser Karls VII. in Arnstorf gewesen sein. Man sagt auch von einem Schreibtisch mit Doppeladlerkonsolen, daß er aus dem Besitz dieses Kaisers stammt. Neben dem Kaisersaal befinden sich noch andere prächtig barock ausgeschmückte Räume, ein Teil der Zimmer mit gepreßten Ledertapeten oder farbiger Leinwand – darauf Plüschstaub.

Weiter unten im Schloß, in Erdgeschoß und Keller, stößt man aber auch noch auf die Reste aus spätgotischer Zeit, in die das Bauwerk offensichtlich zurückreicht. Die genaue Baugeschichte des Schlosses ist unbekannt. Im Schiff der Schloßkapelle fand man einen gotischen Treppeneingang; Rippengewölbe, teilweise mit Ranken in zartem Grün bemalt, verweisen ebenfalls in diese Zeit.

◀ Le château supérieur à Arnstorf, Basse-Bavière. La salle impériale au deuxième étage, décorée dans le style du haut baroque fait de ce château une rareté dans la région. Ce serait la visite attendue à Arnstorf de l'empereur Charles VII qui aurait donné lieu à cette splendide décoration au début du 18e siècle.

◀ The Upper Palace in Arnstorf, Lower Bavaria. The Imperial Hall, on the second floor, decorated in the High Baroque style, makes this palace a rarity for the region. The magnificence of this redecoration at the beginning of the 18th century is said to have been prompted by an expected visit to Arnstorf by Emperor Charles VII.

▶ Schloß Offenstetten, Niederbayern. Das ganze Mittelalter hindurch war hier der Stammsitz des Edelgeschlechtes der Offenstetter. Als sie Ende des 15. Jahrhunderts ausstarben, brachen unruhige Zeiten an: wechselnde Besitzer und die Zerstörung im Dreißigjährigen Krieg. Danach, beim Wiederaufbau 1694 bis 1696, erhielt Offenstetten die heutige Form: vier Flügel, von einem breiten Wassergraben umgeben (die Zwiebelhauben allerdings sind aus unserem Jahrhundert). Mitte des 18. Jahrhunderts, nun durch Heirat im Besitz des bayerischen Staatskanzlers von Kreitmayr, erfuhr es noch einmal eine gründliche Umgestaltung. Heute beherbergt die Anlage ein Heim für behinderte Kinder, das als erstes dieser Art in Bayern nach dem Zweiten Weltkrieg eingerichtet wurde.

▶ Château d'Offenstetten, Basse-Bavière. La construction à quatre ailes entourée d'une large douve date pour l'essentiel de la fin du 17e siècle. L'ancien château, qui se trouvait à cet endroit, siège de la famille des Offenstett, a été détruit pendant la guerre de trente ans.

▶ Offenstetten Palace, Lower Bavaria. This very compact building, with four wings, and surrounded by a wide moat, dates back mainly to the end of the 17th century. The old castle that stood here, the seat of the Offenstett family, had been destroyed in the Thirty Years' War.

▶▶ Fürstbischöfliche Residenz in Eichstätt, Mittelfranken. Das verhältnismäßig kleine Bistum Eichstätt, das Bonifatius 743 errichtet hatte, war in seiner Ausdehnung stark eingeengt durch das Bistum Bamberg, von den mit der Domvogtei belehnten Grafen von Hirschberg, später von den Nürnberger Burggrafen und den bayerischen Herzögen.

Wie in anderen Bischofsstädten finden wir auch in Eichstätt die starke Abgrenzung zwischen der »geistlichen« Stadt um den Dom und der Bürgerstadt und die Auseinandersetzungen zwischen geistlichen und weltlichen Herren um die Stadtherrschaft gegen das Selbständigkeitsstreben der Bürger. In Eichstätt hatten die Grafen von Hirschberg bis zu ihrem Aussterben im 14. Jahrhundert das Sagen. Danach die Bischöfe. Sichtbarer Ausdruck für diese Tatsache war der Bau der Zwingburg Willibaldsburg über dem Altmühltal. Die Bischöfe verlegten ihre Residenz dorthin, und die Stadtresidenz an der Südseite des Domes wurde seitdem »alter Hof« genannt. Im Dreißigjährigen Krieg setzten die Schweden Eichstätt in Brand. Beim Neuaufbau bekam die Stadt ihr einheitliches barockes Gepräge. Auch die fürstbischöfliche Residenz entstand seit 1704 neu unter dem Graubündener Baumeister Gabriel de Gabrieli, war aber erst 1791 endgültig fertig. Zu diesem Zeitpunkt neigte sich auch die weltliche Herrschaft der Fürstbischöfe schon ihrem Ende zu: 1803 wurde das Hochstift säkularisiert und kam 1806 ganz an Bayern.

▶▶ La résidence du prince évêque à Eichstätt, Moyenne-Franconie. Pendant la guerre de trente ans, un incendie a détruit une grande partie d'Eichstätt, ce qui a valu à la ville d'être reconstruite dans le style baroque et cet aspect harmonieux. La résidence du prince évêque sur le côté sud de la cathédrale a également été reconstruite de 1704 à 1791. L'évêché d'Eichstätt relativement petit a été fondé en 743 par St. Boniface.

▶▶ The Prince Bishop's Palace in Eichstätt, Central Franconia. A large part of Eichstätt was destroyed by fire during the Thirty Years' War. Much of what was then rebuilt has survived, giving the town its unified Baroque appearance – including the Prince Bishop's Palace (1704–1791) on the south side of the Cathedral. The relatively small diocese of Eichstätt was founded by the English monk Boniface in 743.

Schloß in Neuburg an der Donau, Bayerisch-Schwaben. Da muß doch mal was losgewesen sein. So ein großes Schloß kommt nicht von ungefähr in ein Städtchen wie Neuburg. Es war in der Zeit zwischen 1505 und 1685, nachdem aufgrund des Pfälzischen Erbfolgekrieges zwischen den beiden Wittelsbacher Häusern ein neues Herzogtum, Pfalz-Neuburg oder Junge Pfalz genannt, geschaffen wurde. Der erste Pfalzgraf, Ottheinrich, war ein leidenschaftlicher Sammler, ein Jäger und Gesellschafter, ein typischer Renaissancemensch. Es waren ja auch die Wittelsbacher, die – wegen verwandtschaftlicher und geographischer Nähe zu Italien – als erste den Renaissancestil bei ihren Schloßbauten in Deutschland einführten. Zuerst in Freising, dann folgte schon Neuburg 1530 und gleichzeitig das Jagdschloß Grünau bei Neuburg, etwas später dann die Stadtresidenz in Landshut. Überall sind dieselben Baumeister, Künstler und Maurer am Werk.
In Ottheinrichs Residenz finden wir neben reinen Renaissanceformen wie den Laubengängen und Arkaden im Schloßhof, den Kassettendecken und den Schaugiebeln noch gotische Elemente, zum Beispiel Sterngewölbe. Von großer historischer Bedeutung ist die Schloßkapelle. Ottheinrich führte die Reformation in seinem Land ein, und die Kapelle ist eine der ersten protestantischen Kirchen in Deutschland überhaupt. Der Salzburger Hans Bocksberger d. Ä. schuf hier an den Wänden und an der Decke einen Freskenzyklus, der zum Teil wieder freigelegt werden konnte. Schon der vierte Fürst von Neuburg führte allerdings 1615 wieder das katholische Bekenntnis ein. Nach 1685 residierten die Fürsten nicht mehr in Neuburg.

Château à Neuburg sur le Danube, Souabe bavaroise. C'est au prince de la Renaissance Othon-Henri que la petite ville doit ce vaste château. A l'instar d'autres princes de Wittelsbach, il joua un rôle important dans l'introduction du style Renaissance en Allemagne. Le complexe renferme de belles allées couvertes, des arcades, de magnifiques plafonds à caissons et des pignons décoratifs ainsi qu'une des plus anciennes églises protestantes d'Allemagne.

Palace in Neuburg on the Danube, Bavarian Swabia. The little town owes its large palace complex to the Renaissance prince Ottheinrich. Like a number of other Wittelsbach princes, he played a key part in introducing the Renaissance style to Germany. The complex includes splendid covered walks and arcades, magnificent coffered ceilings and ornamental gables – and also one of Germany's oldest Protestant churches.

◀ **Fuggerschloß in Kirchheim an der Mindel,** Bayerisch-Schwaben. Im Jahre 1523 schrieb Jakob Fugger an Kaiser Karl V.: »Es ist auch wissentlich und liegt am Tag, daß Eure Majestät die römische Krone ohne mich nicht hätte erlangen können.« Kein Wunder, daß die Fugger für solche Dienste zu Grafen und später zu Fürsten gemacht wurden. Zu dem unermeßlichen Reichtum kam die Augsburger Kaufmannsfamilie durch ihre ausgedehnten Handelsbeziehungen, vor allem mit den italienischen Städten, durch die Beteiligung am Tiroler Kupfer- und Silberbergbau und ihr Engagement bei der Entdeckung neuer Kontinente.
Wie der alteingesessene Adel wurden die Fugger auch zu Bauherren von Schlössern. So kaufte 1551 Anton Fugger die Herrschaft Kirchheim, und sein Sohn Hans ließ das Schloß der früheren Herren umbauen (1578–1585), vierflügelig um einen Binnenhof und mit quadratischen Ecktürmen. Ein Teil wurde im letzten Jahrhundert abgerissen. Hans Fugger holte für den Umbau bedeutende Künstler, für die Kassettendecke des Festsaales über der Eingangshalle, für den Kaminaufbau, für die Figuren. In der Qualität der Ausstattung läßt er sich durchaus mit den Festsälen in Weikersheim, Heiligenberg und mit dem Goldenen Saal in Augsburg vergleichen. Das Schloß ist auch heute noch von Nachkommen des Hans Fugger bewohnt.

◀ **Château des Fugger à Kirchheim sur la Mindel,** Souabe bavaroise. Les Fugger étaient si riches que même les empereurs (en particulier Charles V) leur empruntaient de l'argent. En retour, ils furent annoblis, devinrent comtes et princes et se construisirent des châteaux tout comme les nobles de vieille souche. De 1578 à 1585, Hans Fugger fit transformer le château dans le style Renaissance. Ses descendants y habitent encore aujourd'hui.

◀ **Fugger Palace in Kirchheim on the Mindel,** Bavarian Swabia. The Fuggers were so wealthy that even the emperors (especially Charles V) borrowed from them. In return they were ennobled, becoming counts and then princes, and they built themselves palaces just like the old nobility. In 1578 to 1585 Hans Fugger had the Kirchheim palace remodelled in Renaissance style. His descendants still live in it.

▶ **Neues Schloß in Oettingen,** Bayerisch-Schwaben. Schloß der Fürsten von Oettingen. Der Hauptbau (Bild) einer größeren, zum Teil wieder abgebrochenen Anlage wurde 1679 begonnen und hat einen schönen Festsaal mit Decken- und Wandstuck des Wessobrunner Stukkateurs Matthäus Schmuzer.
Das Städtchen Oettingen an der Wörnitz träumt immer noch dahin, klein, behaglich mit schönen Fachwerkhäusern, so ruhig, daß selbst Störche auf den feuchten Wiesen an der Wörnitz länger geblieben sind als anderswo. Herren der Stadt waren Jahrhunderte hindurch die Grafen von Oettingen, ihre Familie verzweigte sich durch Erbteilungen, vereinigte und verzweigte sich wieder. Die Spielberger Linie erweiterte die Schloßanlage und machte sie zu ihrer Residenz. 1734 wurden die Oettinger Grafen gefürstet.

▶ **Le Nouveau Château à Oettingen,** Souabe bavaroise. Avec ses maisons à colombages, la petite ville d'Oettingen sur la Wörnitz est un endroit charmant et pittoresque. Des siècles durant, elle a eu pour seigneurs les comtes (princes par la suite) d'Oettingen. Le bâtiment principal de leur château (photo) a été construit à la fin du 17ᵉ siècle.

▶ **The New Palace in Oettingen,** Bavarian Swabia. The little town of Oettingen on the Wörnitz, with its fine half-timbered houses, makes a picturesque, dreamy impression. For centuries the Counts (later Princes) of Oettingen were the local rulers. The main wing of the palace, shown here, was built at the end of the 17th century.

31

Schöner wohnen

Ein Schloß ist eine Residenz, ist ein Palast. Prächtige Residenzen und Paläste gab es von alters her in allen Teilen der Welt, die eine aristokratische Oberschicht kannten – in Ägypten so gut wie in Griechenland oder Persien, im römischen Imperium wie im Reiche der Inkas. Der Begriff Schloß beschränkt sich indessen auf den »repräsentativen Wohnbau des europäischen Adels im Zeitalter von Renaissance, Barock und Klassizismus (15. bis 19. Jahrhundert), im Unterschied zur Burg ohne Wehrfunktion, die nunmehr dem Festungsbau zukommt« (Meyers Enzyklopädisches Lexikon). Ursprünglich bezeichnete das Wort jeden Gegenstand, mit dem sich etwas verschließen ließ, seien es Türen, Kisten, Kasten, Ketten, ein Keuschheitsgürtel oder gar das, was dieser verbarg. »Schön Jüngferlein, hüte dich fein, heute Nacht wird dein Schlößlein gefährdet sein«, warnte Uhland. Später verstand man unter Schloß wie auch unter Burg eine Wegsperre durch eine Feste oder Warte, also durch befestigte Anlagen. Bereits im späten Mittelalter wurden die meisten deutschen Burgen Schlösser genannt. Solche, die nach heutigem Sprachgebrauch diesen Namen zu Recht tragen, sind aber erst ganz allmählich aus dem Schoße der Burgen entstanden, buchstäblich aus ihnen hervorgewachsen, zunächst noch eng an sie geschmiegt, bald ihre Nähte sprengend oder kühnlich auf ihren Ruinen Fuß fassend. Die Wandlung von der Burg zum Schloß vollzog sich vor dem Hintergrund der epochalen geistigen und gesellschaftlichen Veränderungen um die Wende vom 15. zum 16. Jahrhun-

Le goût des belles demeures

Le château est une résidence, un palais. Depuis toujours, il y a eu, dans toutes les parties du monde qui ont connu une couche aristocratique, des demeures et des palais somptueux – en Egypte aussi bien qu'en Grèce ou en Perse, dans l'empire romain comme au royaume des Incas. La notion de château («Schloss» en allemand) se limite entretemps à la «demeure représentative de la noblesse européenne à l'époque de la Renaissance, du baroque et du classicisme (du XVe au XIXe siècle) à la différence du ‹burg› sans fonction défensive, celle-ci revenant désormais à l'édifice fortifié» dit le dictionnaire encyclopédique allemand Meyer). A l'origine, le terme allemand de «Schloss» désignait tout objet qui fermait quelque chose, que ce soient des portes, des caisses, des coffrets, des chaînes, une ceinture de chasteté ou même la chose que celle-ci dissimulait. «Schön Jungferlein, hüte dich fein, heute Nacht wird dein Schlösslein gefährdet sein» dit le poète Ludwig Uhland à une demoiselle la mettant en garde contre les dangers que la chose en question va courir la nuit prochaine. Par la suite, on a entendu en allemand par «Schloss» comme par «Burg» un barrage établi par une forteresse ou une tour de guet, c'est-à-dire par des installations fortifiées. A la fin du moyen âge, la plupart des «Burgs» allemands sont déjà appelés «Schlösser» (châteaux). Mais ceux qui, d'après l'usage actuel, porte à bon droit ce nom sont nés progressivement des burgs, sont littéralement sortis d'eux, en s'y accolant tout d'abord, en faisant éclater bientôt leurs limites ou en s'établissant hardiment sur leurs ruines.

The ideal home

A palace is an official residence, a great house. Magnificent residences and palaces have existed throughout the ages in all parts of the world that have had an aristocracy – in ancient Egypt as in Greece or Persia, in the Roman empire and in that of the Incas. The German word "Schloss" is defined as "prestigious house of the European nobility in the Renaissance, Baroque, and Classicist ages (15th to 19th centuries), with, in contrast to the castle, no fortifications . . . ." (Mayers enzyklopädisches Lexikon). "Schloss" may be translated as "castle", "palace", "mansion", or "manor-house" in English, depending on the context, but also as "lock". Indeed, "Schloss" originally meant anything that could be used for locking up other objects – such as doors, crates, chests, chains, chastity belts – or even what the latter concealed. Later the word "Schloss" and the word "Burg" (castle) came to mean any barrier or tower, any fortifications, put up to obstruct the passage of other people. By the late Middle Ages most German castles were called "Schlösser". But those which conform to the present-day understanding of the term palace originally all gradually grew out of one-time castles, first clinging closely to them, later extending beyond them or simply being superimposed on their ruins. The transformation from "Burg" to "Schloss" took place before the background of epochal intellectual and social changes in the period round about 1500. Feudalism was coming to an end, Humanism was the dominant intellectual movement, the Corpus juris Justinianum prepared the way for approaching Absolut-

dert. Die Zeiten des Feudalismus neigten sich dem Ende zu, der Humanismus beherrschte die geistigen Strömungen, das *Corpus iuris Justinianum* ebnete dem nahenden Absolutismus die Bahn. Egon Friedell: »Der Mensch, in dumpfer, andächtiger Gebundenheit den Geheimnissen Gottes, der Ewigkeit und seiner eigenen Seele hingegeben, schlägt die Augen auf und blickt um sich. Er blickt nicht mehr über sich, verloren in die heiligen Mysterien des Himmels, nicht mehr unter sich, erschauernd vor den feurigen Schrecknissen der Hölle, nicht mehr in sich, vergrübelt in die Schicksalsfragen seiner dunklen Herkunft und noch dunkleren Bestimmung, sondern geradeaus, die Erde umspannend und erkennend, daß sie sein Eigentum ist. Die Erde gehört ihm, die Erde gefällt ihm zum erstenmal seit den seligen Tagen der Griechen.«

Der Mensch der anbrechenden Renaissance erfährt ein ganz neues, weltoffenes, der Kunst zugewandtes Lebensgefühl. Er legt gesteigerten Wert auf die schönen Dinge des Lebens, auf Luxus und Repräsentation. Er ist dynamisch und genußsüchtig, praßt, säuft und liebt bisweilen zügellos. Und er will schöner wohnen.

Le passage du château fort au château s'est accompli dans le cadre des transformations intellectuelles et sociales qui se sont produites au tournant du XVe siècle. L'époque du féodalisme tirait à sa fin, l'humanisme dominait les courants intellectuels et le Corpus iuris Justinianum aplanissait la voie de l'absolutisme naissant. Pour Egon Friedell: «L'homme assujetti de façon diffuse, respectueuse aux secrets de Dieu, livré à l'éternité et à son âme, ouvre les yeux et regarde autour de lui. Il ne regarde plus au-dessus de lui, perdu dans les mystères sacrés du ciel, plus au-dessous de lui effrayé par les horreurs brûlantes de l'enfer, plus en lui rongé par les questions fatales de ses obscures origines et d'une destinée encore plus obscure, mais tout droit devant lui, en embrassant la terre et en reconnaissant qu'elle est sa propriété. La terre lui appartient, la terre lui plaît pour la première fois depuis les jours heureux des Grecs.» L'homme, à l'aube de la Renaissance, éprouve une toute nouvelle joie de vivre, plus cosmopolite, tournée vers les choses de l'art. Il attache une plus grande importance aux jolies choses de la vie, au luxe et au paraître. Il est dynamique et avide de plaisirs, mène joyeuse vie, boit et aime parfois de façon effrénée. Et il veut vivre dans de belles demeures.

ism. Egon Friedell: "Man, at first submerged in dull, devout submission to God's secrets, eternity, and his own soul, opens his eyes and looks about him. He no longer looks above himself, lost in the sacred mysteries of Heaven; no longer below himself, shuddering at the fiery horror of hell; no longer into himself, brooding over his dark origins and even darker destiny, but straight ahead, taking in the whole earth, and recognizing that it is his property. The earth belongs to him, the earth delights him for the first time since the blissful days of the Greeks."

At the beginning of the Renaissance, man experienced a completely new, open-minded feeling for life matched by an increased interest in the arts, placing greater value on the fine things of life, on luxury, and prestige. He was dynamic and pleasure-loving, delighted in revelry, drinking and loving – sometimes to excess. And he wanted to live in more comfortable surroundings, began to aim at the ideal home.

Rittertum ade

Es gibt aber noch eine andere, sehr handfeste Erklärung dafür, daß die Zeit der Burgen zu Ende ging und den Schlössern die Zukunft gehörte: die Erfindung des Schießpulvers. Sie hat sich ziemlich in die Länge gezogen. Nachdem den Chinesen bereits im 8. Jahrhundert Feuerwerkskörper und später auch Treibmittel für Raketen bekannt waren, ähnliche Gemische gar schon bei den Griechen in Gebrauch gewesen sein sollen, hat man bei uns den erst in der zweiten Hälfte des 14. Jahrhunderts wirkenden Mönch Berthold Schwarz das Pulver erfinden lassen. Dieser Tat wegen soll der legendäre Bernhardiner oder Franziskaner zum Tode verurteilt worden sein.
Der Gebrauch der neuen Feuerwaffen hat sich im Schneckentempo durchgesetzt. Dann aber wurden während der Bauernkriege in einem einzigen Jahr achtundzwanzig Burgen zerstört. Doch das Rittertum, das in ihnen zu Hause war, ist nicht an der Erfindung des Schießpulvers zugrunde gegangen, sondern am Verlust der alten Tugenden und Ideale wie Treue, Ehre, Milde und Stete – eine Folge sowohl der wirtschaftlichen Veränderungen wie des durch den Siegeszug eines allumspannenden Rationalismus geänderten Weltbildes. Die Ritter gingen bankrott, verbauerten oder verrotteten völlig. Geiler von Kaisersberg empörte sich: »Nur der Name des Adels ist geblieben, nichts von der Sache bei denen, die edel heißen. Es ist eine Nußschale ohne Kern, ein Ei ohne Dotter, keine Tugend, keine Klugheit, keine Frömmigkeit, keine Liebe zum Staate, keine Leutseligkeit ...«

Adieu à la chevalerie

Mais il existe encore une autre explication, plus solide de la fin des châteaux forts et de l'avènement des châteaux: l'invention de la poudre à canon qui a passablement traîné en longueur. Si les Chinois ont connu dès le huitième siècle les articles pyrotechniques et par la suite également les carburants pour les fusées, si des mélanges semblables ont dû même être utilisés chez les Grecs, chez nous ce n'est que dans la première moitié du quatorzième siècle que l'on attribua au moine Berthold Schwarz la découverte de la poudre. Ce fait valut d'ailleurs au légendaire bernardin ou franciscain d'être condamné à mort.
L'usage des nouvelles armes à feu s'est imposé très lentement. Mais par la suite, pendant la guerre des paysans, vingt-huit châteaux forts ont été détruits en l'espace d'un an. Toutefois, la chevalerie dont ils étaient le foyer n'est pas morte à cause de l'invention de la poudre à canon mais de la perte des vieilles vertus et des idéaux comme la fidélité, l'honneur, la clémence et la constance – une conséquence tant des mutations économiques que d'une conception du monde transformée par la marche triomphale d'un rationalisme omniprésent. Les chevaliers firent faillite, devinrent des paysans ou dépérirent complètement. Geiler von Kaisersberg s'indignait: «Seul le nom de noble est resté mais rien de la chose chez ceux qui se disent nobles. C'est une coquille de noix sans amande, un œuf sans jaune, pas de vertu, pas de sagesse, pas de piété, pas d'amour de l'Etat, pas d'affabilité ...» Les châteaux forts ayant perdu leur fonction initiale d'ouvrages défensifs, la con-

Farewell chivalry

But there was another, very practical reason why castles gave way to palaces: the invention of gunpowder. It had been a long time in coming. The Chinese had fireworks as early as the 8th century, and somewhat later had fuel for rockets. It is even said that similar mixtures were used by the ancient Greeks. But according to legend, gunpowder was "invented" in Europe only in the second half of the 14th century, by a Bernardine or Franciscan monk called Berthold Schwarz. He is said to have been sentenced to death for his deed.
The use of the new firearms spread very slowly. Then, during the Peasants' War (1525), twenty castles were destroyed in a single year. However, the chivalry that resided in the castles was not destroyed by the invention of gunpowder but by the loss of the old virtues and ideals regarding loyalty, honour, clemency, and constancy – as a result of both economic changes and of a change in the philosophy of life due to the rise of all-embracing rationalism. The knights went bankrupt, slipped into peasantry, or completely degenerated. Geiler von Kaiserberg laments: "Only the name of nobility remains, nothing of the substance is left among those called noble. It is a nutshell without the nut, an egg without a yolk; no virtue, no wisdom, no piety, no love of the state, no courtesy ..." There was no point any more in building castles now that they had been made obsolete by gunpowder. At a considerably earlier date – in the 13th century – some castles had been provided with palace-like extensions. But while the extension of living quarters carried out during

Für den Burgenbau gab es nun keine Chancen mehr, nachdem die Burgen ihre ursprüngliche Funktion als Wehrbau eingebüßt hatten. Schon wesentlich früher, im 13. Jahrhundert nämlich, hatte man damit begonnen, die eine oder andere Burg schloßartig zu erweitern. Doch während den großen, bereits auf Wohnkomfort und Repräsentation orientierten Wohnanlagen der Übergangszeit durch steiles Gelände oder vorgegebene Befestigungen Grenzen gesetzt waren, entwickelte sich seit etwa 1500 zunächst in Italien und Frankreich, wenige Jahrzehnte später auch in Deutschland, eine eigenständige Schloßbaukunst.

struction de châteaux forts n'avait désormais plus aucune chance. Bien avant déjà, au XIIIe siècle, on avait commencé à agrandir sous forme de château l'un ou l'autre burg. Mais tandis que des limites étaient imposées, du fait d'un terrain abrupt ou de fortifications en place, aux grands complexes d'habitation de la période transitoire orientés déjà vers le confort de l'habitat et la représentativité, on assistait, depuis 1500 environ, à une architecture originale qui devait se développer d'abord en Italie et en France et, quelques décennies plus tard, également en Allemagne.

the transitional phase, with the aim achieving greater comfort and prestige was often limited by difficult terrain or existing fortifications, from about 1500 in Italy and France, and a few decades later in Germany, palaces began to be built independently.

Zeit für Schlösser

Von den rund sechstausendsechshundert Schlössern im deutschen Sprachgebiet – verglichen mit den rund neunzehntausend Burgen auf gleichem Territorium eine bescheidene Zahl – sind etwa dreieinhalbtausend reine Neuschöpfungen. Ihre Entstehungszeit reicht von den Tagen Karls V., in dessen Reich die Sonne nie unterging, bis zu denen des letzten deutschen Kaisers Wilhelm II. In ihren Räumen wurde während dieser Spanne die deutsche Geschichte bestimmt. Ihre in diesem Bildband versammelten Physiognomien sind von wechselnden Stilen der Kunstgeschichte, von landschaftlichen Einflüssen, von der Phantasie großer Architekten und Landschaftsgärtner, nicht zuletzt vom schöpferischen Willen wie vom Geldbeutel der Bauherren geprägt. Sie dokumentieren das Herrschaftsbewußtsein einer Elite, des reichs- und landständischen Adels, der Kirchenfürsten und Landesherren, die für die gesellschaftlichen und politischen Entwicklungen verantwortlich waren. »Große Herren«, so urteilte ein bürgerlicher Autor um 1720, »sind zwar sterbliche Menschen, wie andere Menschen; weil sie aber GOTT selbst über andere in dieser Zeitlichkeit erhoben und zu seinen Statthaltern auf Erden gemacht, also daß sie von der Heil. Schrift in solchem Verstande gar Götter genennet werden, so haben sie freylich Ursache, sich durch allerhand euserliche Marquen vor anderen Menschen zu distinquiren, um sich dadurch bey ihren Unterthanen in desto größeren Respect und Ansehen zu setzen.«
Die Schlösser des späten 15. und 16. Jahrhun-

Le temps des châteaux

Sur les six mille six cents châteaux du territoire de langue allemande – un chiffre modeste comparé aux quelque dix-neuf mille châteaux forts sur le même territoire – environ trois mille cinq cents sont des édifices entièrement nouveaux. L'époque de leur construction s'étend du règne de Charles V, dans le royaume duquel le soleil ne se couchait jamais, jusqu'à celui du dernier empereur allemand Guillaume II. Au cours de cette période, l'histoire allemande s'est écrite dans leurs salles. Leurs physionomies réunies dans cet ouvrage illustré sont marquées par les styles changeants de l'histoire de l'art, par les influences régionales, la fantaisie des grands architectes et paysagistes mais aussi par la volonté créatrice comme par la bourse des constructeurs. Elles documentent la volonté de domination d'une élite, de la noblesse impériale et provinciale, des princes de l'Eglise et des souverains qui étaient responsables des développements sociaux et économiques. Les «grands seigneurs», commente un auteur bourgeois vers 1720, «sont certes des mortels comme tous les autres hommes; mais comme DIEU les a élevés au-dessus des autres et en a fait ses vicaires sur cette terre, et que dans cet esprit ils sont même nommés dieux par l'Ecriture sainte, ils ont évidemment des raisons de se distinguer par toutes sortes de marques extérieures des autres hommes pour susciter chez leurs sujets un respect et une considération d'autant plus grands.»
Les châteaux des quinzième et seizième siècles allient les traditions plus anciennes aux nouvelles formes de construction. C'est tout

A time for palaces

Of the roughly 6,600 palaces or mansions in the German-language region – a modest number compared with the roughly 19,000 castles – about 3,500 are completely original buildings. They were built in the period from the days of Charles V, on whose empire the sun never set, to those of the last German emperor, Wilhelm II. During that period German history was determined in their rooms. Their physiognomies, as illustrated in this book, were influenced by changing styles of art, by the landscape in which they were set, by the imagination of great architects and landscape gardeners, and, not least, by the creative will and the available wealth of the families that had them built. They reflect the self-confidence of the nobles, the prince bishops, and the ruling classes in general, who were responsible for social and political developments. "Great lords", wrote a bourgeois author around 1720, "are also mortal, like other men; but because they have been raised above others by GOD Himself during this earthly life, and have been made His viceroys on earth, and with this in mind are even called gods in the Holy Scriptures, they certainly have grounds to distinguish themselves from other men by outward symbols that they might reap a greater degree of respect and esteem from their subjects."
The palaces of the late 15th and 16th centuries combined older traditions with new building forms. First there were the hall-type buildings, houses of several storeys, which had developed out of the castle hall. The Renaissance palace bridges the gap between the fortified

derts verknüpfen ältere Traditionen mit neuen Bauformen. Da ist zunächst der Saalbautyp, ein mehrstöckiges Haus, das sich aus dem Palas der Burg entwickelt hat. Das Renaissanceschloß überbrückt die Kluft zwischen der wehrhaften Burg und dem Prachtschloß des Barock. Strategische Gesichtspunkte sind für seinen Standort irrelevant geworden. So heißt es in einem Architekturtraktat von 1744 über die Entwicklung des frühneuzeitlichen Schloßbaus: »Chateau, Castrum, Schloß, Castello ist die Wohnung eines großen Herrn, welche wohl mit Ringmauern, Gräben und Wällen umgeben, daß sie vor eine Festung gelten, und zum sichern Aufenthalt des Besitzers dienen kan, worunter die ehemaligen Berg-Schlösser hauptsächlich zu zählen, denen von dem Verschluß der Name Schloß zugewachsen. Nunmehro werden die Schlösser nicht allemahl befestiget, auch verschiedener Ungemächlichkeiten wegen selten auf hohen Bergen gebauet, nachdem das Pulver erfunden, und die hohen Berg-Schlösser denen Bomben nicht unersteiglich sind.«
Die adligen Bauherren zogen sich mit ihren Lustschlössern, Jagdschlössern und Wasserschlössern in landschaftliche Idyllen zurück, pflegten »zu jrer ergetzlichkeyt gemeinlich zu Sommerszeit an wässerigen orten zu wohnen/ die stattlich und schön erbawet sind/ mit wasserkünsten gezieret/ vnd mit allem/ was zur wollust dienet zugerüstet« (aus einem Ökonomietraktat um 1580). Für ihre Residenzen bevorzugten sie den Dunstkreis der Stadt. Europäisches Vorbild waren die auf das antike Kastell zurückgehenden italienischen Palazzi. Ein gutes Beispiel für die Wiederbelebung dieses Bautyps ist das Aschaffenburger Schloß. Ein kleiner Schönheitsfehler an dieser imposanten Anlage über dem Main: Der Erzbischof von Mainz soll die Baukosten in Höhe von 900 000 Gulden durch Konfiskationen auf Grund von Hexenprozessen bestritten haben.
Oft findet man in diesen Vierflügelanlagen einen arkadengeschmückten Innenhof. Reiche Gliederungen der Fassaden, mit klassischen Ornamenten, mit Wappen, Trophäen und allerlei Symbolen dekorierte Portale unterstreichen aristokratische Würde. Kräftige Ecktürme schauen noch ein wenig martialisch drein, pflegen Erinnerungen an die Burg. Zumal die damals so beliebten Wasserschlösser, mit denen flache Landstriche, Westfalen

d'abord le type de la grande salle, une maison à plusieurs étages qui s'est développée à partir du logis du seigneur du château fort. Le château de la Renaissance franchit l'abîme qui sépare le château fortifié du château somptueux du baroque. Des points de vue stratégiques ne jouent plus aucun rôle pour le choix de son site. C'est ainsi qu'on peut lire dans un traité d'architecture de 1744 sur l'évolution de la construction des châteaux du début des temps modernes: «Le château, castrum, Schloss, castello est la demeure d'un grand seigneur entourée de murs d'enceinte, de fossés et de remparts de rigueur devant une forteresse et devant servir à assurer la sécurité du propriétaire, et parmi lesquels on doit compter principalement les anciens châteaux de montagne de la fermeture desquels est dérivé le nom de Schloss. A présent, les châteaux ne sont plus fortifiés, rarement bâtis sur de hautes montagnes en raison de divers inconvénients, la poudre ayant été inventée et les hauts châteaux de montagne n'étant plus inaccessibles à ses bombes». Les constructeurs de la noblesse se retirèrent avec leurs châteaux de plaisance, pavillons de chasse et castels d'eau au milieu de beaux paysages, «eurent coutume d'habiter l'été pour leur confort dans des sites entourés d'eau, dans de belles et imposantes constructions agrémentées de jeux d'eau et équipées de tout ce qui sert à la volupté». (Extrait d'un traité d'économie de 1580 environ.) Pour leurs résidences, ils préféraient l'atmosphère des villes. Les palazzi italiens dont l'origine remontait au castel antique servaient de modèle en Europe. Le château d'Aschaffenburg constitue un bon exemple de la réapparition de ce type d'architecture. Cet imposant édifice au-dessus du Main a été construit à l'aide de moyens pas très louables: l'archevêque de Mayence aurait réuni les fonds nécessaires à son édification – 900.000 gulden – en confisquant les biens de personnes condamnées pour sorcellerie. Souvent on trouve dans ces bâtiments à quatre ailes une cour intérieure ornée d'arcades. Des façades très articulées, avec des ornements classiques, des portails ornés de blasons, de trophées et de toutes sortes de symboles soulignent la dignité aristocratique. De puissantes tours d'angle confèrent encore à l'ensemble un caractère martial et rappellent le château fort. Les castels d'eau surtout, si en vogue à l'époque, et dont les régions plates, à

castle and the prestigious palaces of the Baroque Age. Strategic considerations had become irrelevant. Thus, in an architectural treatise of 1744, it says, with regard to the early development of the new-style of palace building: "A chateau, castrum, castle, castello is the house of a great lord built like a fortress with outer walls, ditches, and ramparts so that it can serve as a safe residence for the owner; among these, the one-time hill-castles are the principal examples . . . Now, such buildings are not always fortified, and, because it is troublesome in a number of ways, are rarely built on hills, especially since the invention of powder, and because hill-castles are unable to withstand shells." The noble gentlemen withdrew with their pleasure pavilions, hunting lodges, and moated palaces to more idyllic surroundings, and took, "for their pleasure, to watery places in the summer time, to large and well-built houses, with artificial waterworks and equipped with everything that serves to please" (from a economic treatise of about 1580). They chose to build their main residences in towns. The Italian palazzo, based on Classical forms, served as the model for the rest of Europe. Aschaffenburg Palace is a good example of the revival of this type of building. A slight blemish in the history of this imposing palace above the River Main: the Archbishop of Mainz reportedly paid the building costs, to the tune of 900,000 guilders, out of money confiscated in the course of witch trials.
Such four-fronted palaces often have an inner courtyard decorated with arcading. Lively façades and portals decorated with classical ornaments, coats of arms, trophies and all kinds of symbols, underline the aristocratic dignity of the owner. Powerful corner towers still wear a somewhat martial air, recalling the days of the castle. It was particularly the moated palaces, so popular in that period – especially in flat regions such as Westphalia – with their moats, bridges, gateways, and towers, which made much use of archaic elements of this kind. But, apart from acting as breeding grounds for gnats and frogs, the water rippling against their walls, once intended to hold off the attacking enemy, now had a purely ornamental purpose.
The first newly-built palaces of that period, were based on simple, clear, rectangular or square ground plans. This was soon to

voran, reich gesegnet waren, stellten mit ihren Gräben, Brücken, Toranlagen und Türmen solche Reminiszenzen zur Schau. Doch das ihre Mauern umspielende Naß, einst dazu angelegt, den Ansturm der Feinde aufzuhalten, hatte jetzt außer für Schnaken und Frösche nur noch dekorative Bedeutung.

Die ersten eigenständigen Schlösser aus jener Zeit, das rechteckige Haus und das quadratische oder auch längliche Kastell, sind auf klarem, einfachem Grundriß errichtet. Das ändert sich bald. Die spätere Vielfalt der Grundrißformen entspricht dem repräsentativen Auftrag der Bauten, belegt den Einfallsreichtum der Architekten, ihren Willen zur Originalität. In der Regel sind Schlösser Axialanlagen, also in ihrem Grundriß auf eine gerade Linie bezogen. Für die selteneren Zentralbauten hat man sich schon in der Renaissance höchst raffinierte Grundmuster ausgedacht. In seiner »Kleinen Kunstgeschichte der deutschen Schlösser« unterscheidet Walter Hotz Einflügelbauten mit oder ohne Türme (Schloß Kißlegg im Allgäu; Schloß Schönbusch bei Aschaffenburg), oft mit Risaliten prangend, besonders akzentuierten, bis zum Dachbereich vorspringenden Gebäudeteilen in der Mitte oder an den Seiten der Schloßfassade (Cuvilliés' Jagdschloß Falkenlust bei Brühl); den relativ seltenen, meist rechtwinkligen Zweiflügelbau (das oberschwäbische Schloß Warthausen) und den Geviertbau (Aschaffenburger Schloß), jeweils mit oder ohne Türme; zentrale Rund- und Mehreckenanlagen (Schloß Eremitage in Bayreuth); den aus Frankreich übernommenen, seit dem 18. Jahrhundert besonders beliebten Dreiflügelbau (Pommersfelden), häufig durch Seitentrakte erweitert; Kompositformen wie das von Friedrich dem Großen höchstpersönlich konzipierte Sanssouci, dessen Grundriß sich aus mehreren Schloßbauelementen zusammensetzt; schließlich unregelmäßige Grundrisse, selten geplant, eher unfreiwilliges Resultat einer baugeschichtlichen Entwicklung, die in solchen Fällen meist auf das Fundament einer Burg zurückführt (fürstbischöfliche Residenz in Bamberg). Schon die nüchterne Aufzählung der Grundrißtypen gibt einen Vorgeschmack des Formenreichtums, der sich aus diesen symmetrischen Strukturen hervorzaubern läßt.

commencer par la Westphalie, sont abondamment dotées, exposent avec leurs fossés, ponts, murs, portes et tours ce genre de réminiscences. Mais l'eau qui entoure leurs murs et qui servait autrefois à repousser les assaillants n'a plus maintenant qu'une signification décorative sauf pour les moustiques et les grenouilles.

Les premiers châteaux caractéristiques de cette époque, la maison rectangulaire et le castel carré ou bâti en longueur, ont un tracé précis et simple. Mais cela va bientôt changer. La variété des plans qui apparaît par la suite répond à l'objectif de représentation des édifices, atteste la créativité de leurs architectes, leur désir d'originalité. En règle générale, les châteaux sont des constructions axiales, dont le plan est basé sur une ligne droite. Pour les constructions à plan central, on a, dès la Renaissance, conçu un modèle de base des plus raffinés. Dans la «Petite histoire de l'art des châteaux allemands», Walter Hotz distingue les constructions à une aile avec ou sans tours (château de Kisslegg en Allgäu; château de Schönbusch près d'Aschaffenburg) souvent agrémentées d'avancées faisant saillie jusqu'au toit dans le milieu ou sur les côtés de la façade du château (pavillon de chasse de Falkenlust près de Brühl réalisé par François de Cuvilliés); la construction à deux ailes, relativement rare, généralement rectangulaire (le château de Warthausen en Haute-Souabe) et la construction à plan carré (château d'Aschaffenburg) avec ou sans tours; les constructions à plan central rondes et à plusieurs angles (l'Ermitage dans les environs de Bayreuth); la construction à trois ailes, un modèle venu de France et particulièrement en vogue depuis le XVIIIᵉ siècle (Pommersfelden), souvent élargi par des bâtiments latéraux; des formes composites comme celles du Sans-Souci conçu par Frédéric le Grand lui-même et dont le plan réunit plusieurs éléments architecturaux; enfin les plans irréguliers, rarement prévus et qui sont plutôt le résultat involontaire d'une évolution dans la construction du château qui, dans ces cas, tire généralement son origine d'une demeure fortifiée (résidence du prince évêque à Bamberg). Cette énumération des types de plans donne à elle seule un avant-goût de la richesse des formes qui peuvent naître à partir de ces structures symétriques.

change. The great variety of later ground plans, a tribute to the imagination and originality of the architects of the period, reflected the prestigious purpose of the buildings. Fundamentally, palaces are axial in form, that is to say, their ground plans are based on the straight line. Extremely sophisticated basic patterns for the rarer centrally-planned type of building had already been designed during the Renaissance. In his "Short History of German Palace Architecture", Walter Hotz distinguishes between various types: the simple oblong plan with or without towers (Kisslegg in the Allgäu; Schönbusch, near Aschaffenburg), which are often provided with bays rising to roof level, in the middle or at the sides of the façade (Falkenlust, Cuvillié's hunting lodge, near Brühl); the relatively rare L-shaped plan (Warthausen in Upper Swabia), and the four-fronted plan (Aschaffenburg), with or without towers; centrally planned and polygonal buildings (Eremitage in Bayreuth); the three-fronted horseshoe-shaped building, particularly popular from the 18th century onwards (Pommersfelden), often with further extensions added; composite forms, like Sanssouci, the plan of which was personally drafted by Frederick the Great, and which incorporated a variety of architectural elements; and, finally, irregular ground plans, rarely designed as such, but rather the arbitrary result of building activities spread over a long period and usually including some elements of an original castle (the Prince-Bishop's Palace, Bamberg). Even a dry list like this provides a foretaste of the great variety of forms which can be conjured up out of these symmetrical patterns.

▶ **Schloß Zeil,** Allgäu, Südwürttemberg. Der hohe Bergvorsprung über dem Achtal, auf dem Schloß Zeil liegt, in geschützter und beherrschender Lage also, war schon in vorgeschichtlicher Zeit besiedelt. Im frühen Mittelalter befand sich der Zeiler Berg offensichtlich im Besitz des Klosters St. Gallen, denn erstmals urkundlich erwähnt wird Zeil, als Abt Heinrich von St. Gallen 1123 vor einem Gegenabt hierher floh. Im 12. und 13. Jahrhundert saßen die Grafen vom Nibelgau auf der Höhenburg, dann die Grafen von Montfort. Seit 1337 gehörte sie dann den Truchsessen von Waldburg.

Ganz ähnlich wie in Wolfegg führte die Aufspaltung der Familie in mehrere Linien dazu, daß Zeil 1595 Residenz der Linie Waldburg-Zeil wurde, und auch hier folgt der Bau eines Schlosses (anstelle der abgebrochenen Burg), und auch hier eine Vierflügelanlage mit vier Ecktürmen. Hinter der Schlichtheit des Äußeren verbirgt sich eine gediegene Gestaltung und Ausstattung der Räume im Innern: schöne Renaissancedecken und Stukkaturen, Möbel des 17. und 18. Jahrhunderts. Zudem beherbergt das Schloß wertvolle Kunstsammlungen der Fürstenfamilie, unter anderem Handschriften und ganz frühe Drucke.

▶ **Château de Zeil,** Allgäu, Sud-Wurtemberg. L'éperon de la montagne sur lequel se trouve le château était déjà habité à l'époque préhistorique. Le château fut construit à la fin du 16ᵉ siècle lorsque Zeil devint le siège de la branche Waldburg-Zeil (1595) et après la destruction de l'ancien château médiéval. C'est un édifice à quatre ailes conçu d'après le modèle du château de Wolfegg.

▶ **Zeil Palace,** Allgäu, South Württemberg. The high spur on which the palace stands was already settled in prehistoric times. The palace was built at the end of the 16ᵗʰ century after Zeil became the seat of the Waldburg-Zeil line, and after the old medieval castle had been demolished. It is a four-wing building modelled on Wolfegg Palace.

▶ **Neues Schloß in Bad Wurzach,** Südwürttemberg. Es hilft alles nichts. Da nun einmal Graf Ernst Jakob 1723 ein neues Schloß bauen ließ, als Residenz und mit dem Willen zu repräsentieren, sind einige Erklärungen notwendig: Des Grafen Familie, die Waldburger Truchsessen, gründeten 1273 die Stadt Wurzach, waren also von Anfang an dabei und hatten in Wurzach eine Burg. Als sich das Haus Waldburg 1675 zum soundsovielten Male teilte, wurde Wurzach Residenz einer eigenen Linie. Das alte Schloß reichte nicht mehr aus für die neuen Ansprüche. Ohne Ehrenhof und großes Treppenhaus konnte zur damaligen Zeit niemand als absolutistischer Herrscher ernstgenommen werden und Hof halten. Drei Flügel bilden den Hof, und hinter dem Mittelrisaliten mit den gezackten Simsfiguren verbirgt sich das Treppenhaus, wichtig für den Empfang, die Feste. Es ist schön, geschwungen, genischt, doppelläufig, über drei Stockwerke sich windend. Verwirrend – man meint, selber von unten bis oben gehen zu müssen, um sicher zu sein, daß man auch ankommt, und vor allem wie. Doch dort oben ist die Lage keineswegs klarer, soll es auch gar nicht. Die Maler des Barock wollten ja Illusionen schaffen mit ihren Deckengemälden. Der Himmel öffnet sich, um Herkules aufzunehmen. Aber von außen sieht man natürlich, wo das Ganze hinführt: unters Dach.

▶ **Le Nouveau Château à Bad Wurzach,** Sud-Wurtemberg. Wurzach étant devenu le siège d'une ligne indépendante de la maison de Waldburg, le comte Ernst Jakob fit construire en 1723 le nouveau château. Il est doté d'un merveilleux escalier qui gravit trois étages et est couronné par des fresques de plafond représentant Hercule qui disparaît dans le ciel.

▶ **The New Palace in Bad Wurzach,** South Württemberg. Count Ernst Jakob had the New Palace built in 1723 after Wurzach became the seat of an independent line of the House of Waldburg. One of its features is the wonderful staircase, which climbs through three storeys and is crowned at the top with a ceiling painting depicting Hercules just disappearing into the heavens.

▶▶ **Schloß Wolfegg,** Allgäu, Südwürttemberg. Die Herren von Waldburg, deren Burg nur wenige Kilometer von Wolfegg entfernt liegt, waren welfische Truchsessen, also die Vorsteher der Hofhaltung, und zählten somit zu den einflußreichsten Hofbeamten. Die Herrschaft Wolfegg befand sich seit etwa 1200 im Besitz der Herren von Tanne. Diese erhielten um 1214 von dem Stauferkönig Friedrich II. mit dem Amtslehen Waldburg auch das schwäbische Truchsessenamt und nannten sich seitdem Truchsessen von Waldburg. Zum Dank für die Verdienste Georgs III. als Führer des Schwäbischen Bundes, der zur endgültigen Niederlage des Bauernaufstandes 1525 im Allgäu beitrug, wurden die Waldburger zu Reichserbtruchsessen erhoben, seit 1628 haben sie auch den Titel eines Reichsgrafen inne und seit 1803 die Fürstenwürde. Wolfegg ist auch heute noch der Hauptsitz der Fürsten von Waldburg-Wolfegg, eine der Linien, in die sich die Familie seit dem 15. Jahrhundert geteilt hatte.

Das Wolfegger Schloß erhebt sich fast siebenhundert Meter hoch über dem Achtal: eine Vierflügelanlage um einen Binnenhof, 1578 erbaut und nach einer Brandschatzung durch die Schweden im Jahre 1646 mit den stehengebliebenen Umfassungsmauern wieder neu errichtet. Einzige architektonische Gliederungselemente sind die vier Ecktürme und sparsamer Schmuck an Fenstern und Portalen. Die Wohnräume liegen im ersten Stock, die Repräsentationsräume im zweiten. Hier führt ein schönes schmiedeeisernes Gitter in den Rittersaal. An den Seiten sind die waldburgischen Ahnen aufgereiht, nicht wie üblich auf Gemälden, sondern als lebensgroße Holzfiguren.

▶▶ **Château de Wolfegg,** Allgäu, Sud-Wurtemberg. Le château de Wolfegg est situé à près de 700 mètres au-dessus de la vallée de l'Ach. C'est aujourd'hui le siège principal des princes de Waldburg-Wolfegg. La famille Waldburg occupait depuis le début du 13e siècle les fonctions d'écuyer tranchant et par la suite fut élevée à la dignité de comtes du Saint-Empire romain puis de princes. Le château d'une articulation assez simple, avec peu d'ornements extérieurs, est un bâtiment à quatre ailes qui fut construit à la fin du 16e siècle.

▶▶ **Wolfegg Palace,** Allgäu, South Württemberg. Wolfegg Palace lies well over 2000 ft above the Ach Valley. It is still the main seat of the princes of Waldburg-Wolfegg. The Waldburg family were important court officials from the early 13th century onwards, and were later elevated to the rank of counts of the Holy Roman Empire and then to princes. The palace is a relatively plain, four-wing building dating back to the end of the 16th century.

▶▶▶ **Wolfeggsches Schloß in Kißlegg** im Allgäu, Südwürttemberg. Kißlegg hat gleich zwei Schlösser, und das kam so: Seit dem 9. Jahrhundert entwickelte sich Kißlegg zum Mittelpunkt des St. Gallener Klosterbesitzes im Nibelgau und zum größten Kehlhof (hier saß ein Beamter, der Kellerer, der die Steuern und Naturalabgaben einzog). Aus den Meiern wurden ritterliche Dienstmannen, die schließlich in den Besitz des Klosters Kißlegg gelangten und zu adeligen Dienstmannen aufstiegen. Durch Heirat kam die Herrschaft um 1300 an die Familie von Schellenberg. Diese teilte sich, und der eine Teil der Herrschaft kam über wechselnde Besitzer an Waldburg-Zeil, der andere Teil und mit ihm das abgebildete Schloß, kamen 1702 durch Heirat an Waldburg-Wolfegg.

Der hohe Kastenbau mit dem steilen Satteldach und den Rundtürmen stammt aus dem ausgehenden 16. Jahrhundert. Innen wurde das Schloß 1717 bis 1721 von dem Füssener Baumeister Johann Georg Fischer umgestaltet. Derselbe entwarf auch den Neubau des zweiten Schlosses von Kißlegg, das die Linie Waldburg-Zeil anstelle eines abgebrannten Fachwerkbaues erbauen ließ.

▶▶▶ **Château de Wolfegg à Kissleg** dans l'Allgäu, Sud-Wurtemberg. La haute construction avec son toit raide en bâtière et ses tours rondes date de la fin du 16e siècle. L'intérieur fut rénové de 1717 à 1721 par l'architecte de Füssen, Johann Georg Fischer.

▶▶▶ **Wolfegg Palace in Kisslegg,** Allgäu, South Württemberg. The tall building, with its steep saddleback roof and round towers, was built towards the end of the 16th century. The interior was renovated in 1717 to 1721 by the architect Johann Georg Fischer from Füssen.

▶ **Schloß Mochental** bei Munderkingen, Südwürttemberg. Hier saßen um 1200 die Grafen von Berg. Auf einer rings von Wäldern umschlossenen Hochfläche in der Nähe ihrer Burg, noch heute Landgericht genannt, hielten sie Ting. Etwas später schenkte Graf Ulrich von Berg die Burg und eine Nikolauskapelle dem Kloster Zwiefalten. Es errichtete im 15. Jahrhundert eine Probstei, und an die Stelle der fast zerfallenen Burg trat 1568 ein Neubau. 1730 vernichtete ein Brand das Hauptgebäude. In den darauffolgenden Jahren entstand die Dreiflügelanlage, wie wir sie heute kennen. Der Riedlinger Josef Wegschneider erhielt für das Deckengemälde im Hubertussaal, ein orientalisches Festmahl darstellend, 260 Gulden, der ungenannte Stukkateur für seine Kartuschen, Vögel und Götterbüsten 400 Gulden. Das ließen sich die Zwiefaltener Äbte für ihren »Rekreationsort«, für ihre Sommerresidenz schon kosten.

▶ **Château de Mochental** près de Munderkingen, Sud-Wurtemberg. Un château médiéval, dont il fut fait don à l'abbaye de Zwiefalten, se trouvait à cet endroit. L'édifice à trois ailes actuel a été construit en 1730. Mochental était une résidence d'été, un «lieu de récréation» pour les abbés de Zwiefalten.

▶ **Mochental Palace** near Munderkingen, South Württemberg. The original building on this site was a medieval castle, which was presented as a gift to Zwiefalten Monastery. The present three-wing palace was built in 1730 as a summer palace, a "place of recreation", for the abbots of Zwiefalten.

Schloß Sigmaringen, Südwürttemberg. Gesamteindruck: abgerundet, geschlossen, mit dem Felsen verwachsen. Wer das Schloß kennt, weiß, daß 1893 der Nordostteil abbrannte und mit dem Wiederaufbau fast das gesamte Schloß umgestaltet wurde. Schlagwort: Historismus. In der Kunstgeschichte ist damit eine Strömung gemeint, die Ende des 19. Jahrhunderts den Blick zurück in die Geschichte, vor allem ins Mittelalter, wandte und in der Architektur frühere Stile wiederzubeleben versuchte. Im Vergleich mit alten Stichen kann man leichter erkennen, was an die Stelle der Schlichtheit der Schloßgebäude (1658/59 von Michael Beer) getreten ist, der offensichtlich eine ganze Reihe von Kunsthistorikern nachtrauert. Vor allem der Turm wurde verändert. Es ist noch der mittelalterliche Bergfried, der mit seinen Quadersteinen bis ins 12. Jahrhundert zurückreicht, bis zum Umbau aber eine zwiebelförmige Haube trug. Durch die neue Spitze gleicht er eher einem Kirchturm. Die Giebel sind auch anders, überhaupt neu, und die Türmchen (ganz links). Trotz dieser Zutaten des Münchner Architekten Emanuel von Seidl ging die Geschlossenheit der Anlage nicht verloren.
Noch einiges an tatsächlicher Historie: Was sich vor 1077, der ersten Nennung der Burg, auf dem Donaufelsen abgespielt hat, ist unbekannt. Nach den Herren von Sigmaringen kommen die Grafen von Montfort, nach denen die Habsburger, die Württemberger, die Werdenberger, 1535 schließlich die Hohenzollern. In napoleonischer Zeit behielt das Fürstentum aufgrund persönlicher Beziehungen zu Napoleon seine Unabhängigkeit, trat diese aber 1850 wie Hohenzollern-Hechingen an Preußen ab. Als Sitz eines preußischen Regierungspräsidenten wurde Sigmaringen Behörden- und Beamtenstadt.
Im Schloß kann man heute die fürstlichen Kunstsammlungen besichtigen: Waffen, frühgeschichtliche Funde, Werke schwäbischer Meister, alte Kutschen und Wagen.

Château de Sigmaringen, Sud-Wurtemberg. Après un incendie en 1893, presque tout le château a été transformé par l'architecte munichois Emanuel von Seidl dans le goût de l'époque. Il a été doté de nouveaux pignons, de tourelles, d'une nouvelle flèche pour le donjon, ce qui le fait maintenant ressembler à une tour d'église. Mais ces ajouts n'ont rien ôté à l'impression d'ensemble qui se dégage de l'édifice bâti sur un rocher surplombant le Danube.

Sigmaringen Palace, South Württemberg. A fire in 1893 was followed by a transformation of almost the entire palace in the romantic taste of the period by the Munich architect Emanuel von Seidl. New gables and turrets were added, and a new spire for the keep, which makes it resemble a church tower. But the overall impression made by the building, high on a rocky spur above the Danube, is still one of grandeur.

Schloß Haigerloch, Südwürttemberg. Zwischen Haigerloch und Sigmaringen gibt es Verbindungslinien, sowohl geschichtliche als auch architektonische, über die Alb hinweg. Die Lage ist malerisch, und hier wie dort bietet sie im Mittelalter Schutz für Burgen. Beide kommen um die Wende vom 15. zum 16. Jahrhundert nach häufig wechselnden Besitzern an die Grafen von Zollern, die in Hechingen sitzen (Haigerloch 1497, Sigmaringen 1535). Aber schon 1576 wird bei der »brüderlichen Erbteilung« jeder der drei Orte Sitz einer eigenen Linie, und in Haigerloch fällt in die Zeit unmittelbar danach der Um- und Ausbau der mittelalterlichen Burg zum Schloß und der Bau der Schloßkirche. 1634 kommt nach dem Aussterben der Haigerlocher Linie die Herrschaft an Sigmaringen. Hier wie dort ist der aus Vorarlberg stammende Baumeister Michael Beer nach dem Dreißigjährigen Krieg am Werk. Er verändert und stockt auf.
Und wer in Sigmaringen angesichts des historisierenden Umbaus Ende des 19. Jahrhunderts den Verlust der einfachen, ländlichen, nahezu schmucklosen Gebäude vermißt – in Haigerloch sind sie noch zu sehen.
Vor allem die Schloßkirche, die sich mit den Strebepfeilern gerade noch am äußersten Rand des Bergspornes abstützen kann, erfuhr 1748 eine Umgestaltung im Stil des Rokoko. Auch die übrige Stadt hat zahlreiche bauliche Spuren dieser letzten Blütezeit hinterlassen. Es war die Zeit, als Fürst Joseph Friedrich Haigerloch zu seiner zweiten Residenz machte und sich auch fast immer hier aufhielt.
Im Felsenkeller unter der Schloßkirche wurde vom Berliner Kaiser-Wilhelm-Institut für Physik 1944 der erste deutsche Atomreaktor gebaut, nach dem Zweiten Weltkrieg demontiert und 1980 als Modell wieder rekonstruiert.

Château de Haigerloch, Sud-Wurtemberg. Château médiéval à l'origine, il fut transformé vers 1500 lorsqu'il devint la propriété du comtes de Zollern et retransformé à nouveau après la guerre de trente ans par l'architecte du Vorarlberg Michael Beer qui fut également à l'œuvre à Sigmaringen. En 1944, dans la cave située sous la chapelle du château, fut construit le premier réacteur atomique allemand dont on a reconstitué un modèle.

Haigerloch Palace, South Württemberg. Originally a medieval castle, Haigerloch was rebuilt as a palace when it came into the possession of the Counts of Zollern, and then rebuilt again after the Thirty Years' War by the master builder Michael Beer from Vorarlberg, who also worked in Sigmaringen. In 1944 the first German atomic reactor was built in the cellar under the palace chapel; a model of it has been constructed.

▶ **Schloß Königseggwald** bei Saulgau, Südwürttemberg. Michel d'Ixnard heißt der Baumeister. Er stammte aus Südfrankreich und kam über Straßburg nach Süddeutschland. Als Baudirektor des Fürsten von Hohenzollern-Hechingen spielte er eine bedeutende Rolle bei der Ausbreitung des Klassizismus. Klarheit und Strenge der Gliederung, Sparsamkeit des plastischen Schmuckes sind typische Merkmale dieses neuen Stils, der die verspielten Formen des Barock und Rokoko ablöste. Das Schloß baute d'Ixnard 1765 für die Reichsgrafen von Königseggwald, vornehm, elegant, an der Rückfront eine hohe Arkadenhalle zwischen den seitlichen Vorbauten.

▶ **Château de Königseggwald** près de Saulgau, Sud-Wurtemberg. L'architecte de cet élégant château fut le Français Michel d'Ixnard qui contribua grandement à répandre le classicisme en Allemagne du Sud. Le château fut construit en 1765 pour les comtes impériaux de Königseggwald.

▶ **Königseggwald Palace** near Saulgau, South Württemberg. This elegant building was the work of Michel d'Ixnard, from the south of France, who played an important part in the growing popularity of Classicism in south Germany. It was built in 1765 for the Imperial Counts of Königseggwald.

▶ **Schloß Altshausen** bei Saulgau, Südwürttemberg. Torbau. Von 1264 bis 1806 war Altshausen eine Niederlassung des Deutschen Ordens, im Spätmittelalter reichste Kommende der Ballei Elsaß-Schwaben-Burgund, seit dem 15. Jahrhundert Sitz des Landkomturs (dem Rang nach einem Reichsgrafen zu vergleichen).
Vor dem Deutschen Orden saßen hier die Grafen von Altshausen. Heinrich der Lahme, Mönch im Kloster Reichenau und berühmt als Geschichtsschreiber, war einer von ihnen. 1054 starb er in Altshausen und wurde auch hier begraben. Nach der Auflösung des Deutschen Ordens kam Altshausen 1806 an Württemberg, war bis 1918 königliches Landschloß und wurde 1919 Hauptwohnsitz des Hauses Württemberg.
Vielversprechend lädt der Torbau ein: in den Putzfarben des Deutschen Ordens Gelb und Rot, mit Giebelaufsatz über dem Rundportal, geschweiften Dachaufbauten und bekrönt von einem Uhrtürmchen. Vielversprechend auch die Pläne des Deutschordensbaumeisters Johann Kaspar Bagnato, der Anfang des 18. Jahrhunderts für die Kommende eine großartige Schloßanlage um zwei Binnenhöfe herum entwarf. Verwirklicht wurden davon aber nur der Torbau, der Marstall mit Reitschule und der Neue Bau. Sie haben so nicht die Gebäude des 15. und 16. Jahrhunderts ersetzt, sondern sich einfach zu ihnen gesellt.

▶ **Château d'Altshausen** près de Saulgau, Sud-Wurtemberg. Corps de garde. Pendant cinq cents ans, Altshausen a été une commanderie de l'ordre teutonique. L'ordre une fois dissous, Altshausen fut annexé par le Wurtemberg en 1806 et devint, après 1919, la principale résidence de la maison de Wurtemberg. L'imposant corps de garde avec ses pignons à lucarne et son joli clocheton est un des rares édifices qui, prévus au 18e siècle dans le plan d'un immense château, furent vraiment réalisés.

▶ **Altshausen Palace** near Saulgau, South Württemberg. The gatehouse. Altshausen was a commandery of the Teutonic Order for more than five hundred years. Altshausen was annexed by the State of Württemberg in 1806 after the order had been suppressed. After 1919 it became the favourite residence of the House of Württemberg. The impressive gatehouse with its dormer windows and fine clocktower is one of the few buildings that was erected as part of a great palace complex planned in the 18th century but never completed.

► **Schloß Langenstein** bei Stockach, Südbaden. Dienstmannen der Abtei Reichenau erbauen im 12. Jahrhundert die Burg, nach der sich ihr Geschlecht nennt. Mitglieder der Familie von Langenstein unterstützen 1271/72 tatkräftig die Deutschordenskommende Mainau bei ihrer Gründung. Nachdem die Burg 1568 an den kaiserlichen Rat und Oberst Hans Werner von Raitenau übergegangen ist, wird sie von seiner Familie zum Renaissanceschloß umgebaut. Die Gebäude schließen noch den aus riesigen Quadersteinen errichteten mittelalterlichen Bergfried ein.
Ende des Ersten Weltkriegs unterzeichnet Großherzog Friedrich II. von Baden auf Schloß Langenstein seine Abdankung.

► **Château de Langenstein** près de Stockach, Sud-Bade. Les bâtiments des 16e et 17e siècles entourent le donjon en grosses pierres de taille du château du 12e siècle. Le grand-duc Frédéric II de Bade a signé son abdication au château de Langenstein à la fin de la première guerre mondiale.

► **Langenstein Palace** near Stockach, South Baden. The 16th and 17th century buildings surround a 12th century keep built out of huge ashlars. Grand-Duke Friedrich II of Baden signed his abdication in Langenstein Palace at the end of the first world war.

►► **Schloß Mainau,** Bodensee, Südbaden. Die Großmutter des jetzigen Besitzers von Schloß Mainau, Graf Lennart Bernadotte, war Königin Viktoria von Schweden. Diese erbte es von ihrem Bruder, dem Großherzog Friedrich I. von Baden, der es seinerseits 1853 aufgekauft und die Insel zu einem Garten mit tropischen Pflanzen gemacht hatte. Bis ins 9. Jahrhundert reichen die geschichtlichen Zeugnisse über die Mainau. Von 1271 bis 1805, also über 500 Jahre, war sie im Besitz des Deutschen Ritterordens. An Stelle einer Burg entstanden in den Jahren 1732 bis 1746 unter der Leitung des Deutschordensbaumeisters Johann Kaspar Bagnato Schloß und Kirche.

►► **Château de Mainau,** lac de Constance, Sud du pays de Bade. Les origines du célèbre parc aux plantes tropicales dans l'île de Mainau remontent au milieu du siècle dernier lorsque le grand-duc de Bade, Frédéric Ier, acheta l'île et la transforma en jardin. Le château et l'église ont été construits de 1732 à 1746 d'après les plans de Jean Gaspar Bagnato pour l'ordre teutonique dont l'île a été la propriété pendant plus de 500 ans.

►► **Mainau Palace,** Lake Constance, South Baden. The famous park on the island of Mainau, with its tropical plants, had its beginnings in the middle of the last century when Grand Duke Friedrich of Baden bought the island and transformed it into a garden. The palace and church were built in 1732–1746 to plans by Johann Kaspar Bagnato for the Teutonic Order which owned the island for over 500 years.

◀ **Wasserschloß Inzlingen** bei Lörrach, Südbaden. Beim Anblick dieses prächtig herausgeputzten Wasserschlosses möchte man gleich ins Schwärmen kommen. Das durch moderne Architektur so wenig befriedigte Bedürfnis nach Geschlossenheit, nach einem eigenen Gesicht und dem harmonischen Zusammenwirken mit der natürlichen Umgebung kommt zum Vorschein, vielleicht auch nach Ruhe und Abgeschiedenheit. Noch sind die Maueröffnungen für die Ketten der Zugbrücke aus dem 16. Jahrhundert vorhanden (seit dem 17. Jahrhundert führt eine feste Holzbrücke zum Eingang). Einfach Brücke hoch, und man wäre für sich, umgeben von Wasser, geschützt von dickem Mauerwerk, getragen von einem Rost aus Eichenpfählen.
Aber zurück zur Realität. Der Gemeinde Inzlingen ist es mit dem Erwerb der Anlage 1969 und den umfangreichen Wiederherstellungsarbeiten gelungen, einen Teil ihrer eigenen Geschichte nicht nur zu bewahren, sondern in seiner ganzen Schönheit sichtbar werden zu lassen. Zugleich wird diese Geschichte fortgesetzt. Denn die Erbauer des Schlosses (um 1500), die Herren Reich von Reichenstein, eine aus Basel stammende Familie, hatten seit dem Mittelalter die Hohe Gerichtsbarkeit in Inzlingen zu Lehen sowie ausgedehnte Ländereien. Heute ist das Rathaus im Schloß untergebracht, und somit werden die Geschicke des Ortes wieder von hier aus beeinflußt.
Man sollte sich Zeit nehmen, um all die Einzelheiten des Bauwerkes aufzunehmen, denn in so manchem Kunstführer sucht man vergeblich nach diesem Wasserschloß: der geschweifte Giebel über dem Eingang, die erst im 18. Jahrhundert zusammengewachsenen Dächer des Gevierts, die Wandbemalungen, der stille, gepflasterte Innenhof, die schweren Portale, die Zugang zu den vier Flügeln geben, Balkendecken und Säulen in Sälen und Zimmern. Vogtszimmer und Nepomuksaal sind jetzt Ratsäle, und der Bürgermeister residiert im Blauen Salon.

◀ **Castel d'eau d'Inzlingen** près de Lörrach, Sud-Bade. Au cours des dernières années, la commune d'Inzlingen a réussi, grâce à des travaux de restauration laborieux et coûteux, à redonner toute sa beauté première au castel d'eau du 16e siècle. Et il n'est que juste qu'il abrite à présent l'hôtel de ville.

◀ **Inzlingen Palace** near Lörrach, South Baden. The community of Inzlingen has spent much money and care in recent years in restoring the 16th century moated palace to its original beauty. It seems only right that it should now function as Inzlingen council offices.

▶ **Schloß Bürgeln bei Badenweiler,** Südbaden. An der Wende vom 11. zum 12. Jahrhundert lebten auf dem Bürgelnberg zwischen Kandern und Badenweiler ganz fromme Leute: Wernher von Kaltenbach und seine Gemahlin. Als die Kinder erwachsen waren, gingen beide ins Kloster, Wernher nach Sankt Blasien. Und so kam die Burg in den Besitz dieses Klosters. Wernher stellte nur die Bedingung, daß nach seinem Tode dort eine Benediktinerniederlassung eingerichtet wird. So geschah es, und seitdem hat Bürgeln den springenden Hirsch von Sankt Blasien im Wappen.
1762 läßt sich Abt Meinrad von Franz Anton Bagnato dieses »Kleinod des Markgräflerlandes« errichten. Von der alten Burg bleibt die Ummauerung stehen. Nur wenige Jahrzehnte später ereilt auch Bürgeln die Säkularisation. Das Schlößchen wird verkauft, verfällt zusehends, bis 1920 der eigens zur Erhaltung dieses Bauwerkes gegründete Bürgeln-Bund das Schlößchen aufkauft. Seinem Einsatz ist es zu verdanken, daß es bis heute so gut erhalten blieb.

▶ **Château de Bürgeln,** près de Badenweiler, Sud-Bade. Depuis le 12e siècle, les Bénédictins de St. Blaise étaient installés dans le château sur le Bürgelnberg. En 1762, l'abbé Meinrad fit édifier par l'architecte Franz Anton Bagnato ce «joyau du pays du margrave».

▶ **Bürgeln Palace** near Badenweiler, South Baden. The Benedictines of St. Blasius were established in the castle on Bürgelnberg from the 12th century onwards. This "jewel of the Margrave's country" was built for Abbot Meinrad by the architect Franz Anton Bagnato in 1762.

◀ Schloß Ettlingen, Nordbaden. Als der »Türkenlouis«
seine Augen für immer zumachte, anno 1707, legte seine
Gemahlin, Markgräfin Sybilla Augusta, noch lange nicht
die Hände in den Schoß. Für ihren unmündigen Sohn übernahm sie die Regierung, ließ die Rastatter Residenz fertig-
stellen und außerhalb, Baden-Baden zu, das Lustschlößchen Favorite bauen und zu guter Letzt das durch den
Stadtbrand von 1689 zerstörte Ettlinger Schloß wieder aufführen. Es sollte ihr Witwensitz werden, aber als es 1733
fertig war, starb sie. Schmuckstück des Schlosses ist zwei-
fellos die Hofkapelle, ursprünglich drei Geschosse hoch,
über die sich die Decke mit einem Gemälde von Cosmas
Damian Asam spannt. Später unterteilte man die Kapelle,
und der oberste Raum mit dem Gemälde dient jetzt als
Konzertsaal.
Man sieht dem Schloß die Verunstaltungen, die es als Kaserne und Unteroffiziersschule im 19. Jahrhundert erlitten
hat, heute nicht mehr an. Seit es der Stadt gehört, hat es
Stück für Stück sein ursprüngliches Aussehen zurückbe-
kommen.

◀ Château d'Ettlingen, Nord-Bade. De 1728 à 1733, la margravine Sybilla Augusta fit reconstruire le château détruit
par un incendie en 1689 pour en faire sa résidence de
douairière. Mais celle-ci une fois achevée, elle mourut. Son
époux, le margrave Louis s'était illustré dans les guerres
contre les Turcs et sa réputation n'était surpassée que par
celle de son cousin, le prince Eugène.

◀ Ettlingen Palace, North Baden. Margravine Sybilla Augusta had the palace rebuilt in 1728 to 1733, after it had
been destroyed by fire in 1689. It was intended to be her
dower house, but she died as soon as it was completed. Her
husband, Margrave Louis, was famous for his deeds in the
wars against the Turks, his reputation second only to that
of his cousin, Prince Eugène.

▶ Schloß Bruchsal, Nordbaden. Anfang 18. Jahrhundert:
Bruchsal ist ein »bawren loch«, verwüstet und zerstört im
Pfälzischen und im Spanischen Erbfolgekrieg, gerade
noch 130 Einwohner zählend. Und wären in Speyer die Bürger nicht so aufmüpfig gegen ihren Bischof gewesen, wäre
aus Bruchsal wohl nichts Rechtes mehr geworden. So aber
beschließt der neue Fürstbischof Damian Hugo von Schönborn, 1719, nachdem er gerade drei Tage in Speyer gelitten
wurde, seine Residenz ganz nach Bruchsal zu verlegen.
Vielleicht war es ihm auch gerade recht. Wie seine Onkel
und Brüder – Bauherren prächtiger Barockresidenzen, großer und kleiner Schlösser und Kirchen, Würzburg, Bamberg, Pommersfelden, Werneck, Mainz ... – baute auch Damian Hugo für sein Leben gerne. Die Schönborns tausch-
ten untereinander Erfahrungen, Künstler und Architekten
aus. Und sie waren sehr eigenwillig, oft zum Verdruß der
gewöhnlichen Architekten, aber eine Herausforderung für
die genialen. So war in den Plänen für den Mitteltrakt des
Bruchsaler Schlosses kein zweites Zwischengeschoß vor-
gesehen. Damian Hugo ließ es aber bauen, und dann standen alle vor dem »Loch«, wo eigentlich ein Treppenhaus
sein sollte. Zwei Architekten wurden mit dem Problem
nicht fertig, aber Balthasar Neumann, vom Würzburger
Fürstbischof ausgeliehen, hatte die Idee und auch den Mut
zu ungewöhnlichen Lösungen. Das Treppenhaus hat jetzt
einen ovalen Grundriß. Neben dem relativ dunklen Grotten-
raum schwingen sich seitlich zwei Treppen hoch zu einer
Plattform – von den seitlichen Innenhöfen flutet viel Licht
herein – und über dem Ganzen wölbt sich eine Kuppel, die
zum Himmel offen ist – symbolisch natürlich. Am Übergang
vom Mauerwerk zum Deckengemälde (von Johannes Zick)
verläuft die Grenze zwischen Realität und Illusion, die die
Maler des Barock so meisterhaft zu überspielen verstan-
den. Hier ist der Ort, wo Bistum und Bischöfe verherrlicht
werden. In der ersten »Etage« sind Szenen aus der Geschichte des Bistums dargestellt vom Anfang bis in die Gegenwart, und darüber schwebt die göttliche Vorsehung,
umgeben von Weisheit, Ehre, Sicherheit, Glückseligkeit
und Ewigkeit in Person. So dachten die Menschen im Barock, oder anders gesagt, die Kunst dieser Zeit hatte die
Aufgabe, dafür zu sorgen, daß die Menschen so dachten:
Der Herrscher, geistlicher wie weltlicher, ist ein Werkzeug
in der Hand der göttlichen Vorsehung. Seinem Willen zu
folgen, bedeutet letztlich, Gottes Willen zu erfüllen.
Bruchsal hat noch andere interessante Aspekte: was sich
Balthasar Neumann noch alles ausgedacht hat (z. B. das
originelle Wachhäuschen), was Damian Hugo von Schönborn übers Bauen im allgemeinen und in Bruchsal im besonderen dachte, seine Baugesetzgebung. Aber z. B. auch,
unsere Zeit betreffend, wie das Schloß nach den schweren
Schäden im Zweiten Weltkrieg wieder in seiner alten
Pracht erstehen konnte.

▶ Château de Bruchsal, Nord-Bade. Son escalier fait sa
renommée. Les idées originales de son constructeur, le
prince évêque Damian Hugo von Schönborn, ayant dé-
passé les capacités de deux architectes, il appartint à un
troisième, le célèbre architecture du baroque, Balthasar
Neumann, de créer une œuvre géniale. Détruit en grande
partie au cours de la deuxième guerre, le château a été
soigneusement restauré.

▶ Bruchsal Palace, North Baden. Its most famous feature
is the staircase. The ideas of its builder, Prince Bishop Damian Hugo von Schönborn, were beyond the abilities of the
ordinary architect. The famous Baroque architect Balthasar Neumann had to be called in, and he brilliantly saved
the situation, creating a masterpiece. It was severely damaged by bombs in the second world war, but has been
lovingly restored.

▶ **Schloß Heidelberg,** Nordbaden. Ottheinrichbau. Schon in den beiden vergangenen Jahrhunderten galt die Ruine des Heidelberger Schlosses als Inbegriff romantischer Schloß- und Residenzträume in Deutschland. Von den Dichtern immer wieder aufs neue poetisch gefeiert, seien hier stellvertretend einige Verse aus Hölderlins berühmter Ode »Heidelberg« wiedergegeben:
»Schwer in das Tal hing die gigantische, schicksalskundige Burg nieder bis auf den Grund, von Wettern zerrissen; doch die ewige Sonne goß ihr verjüngendes Licht über das alternde Riesenbild, und munter grünte lebendiger Efeu; freundliche Wälder rauschten über die Burg herab.«
Das Heidelberger Schloß entstand aus einer alten, kleineren Burganlage, die im Jahre 1225 erstmalig urkundlich erwähnt wurde. Seitdem die Kurfürsten von der Pfalz, allesamt berühmt für ihre unersättliche Baulust, 1226 Herren der Stadt am Neckar wurden, begann eine ständige Erweiterung, Ergänzung und Umgestaltung des Heidelberger Schlosses. Die nicht minder berühmte Universität ist übrigens die zweitälteste in Deutschland, 1386 wurde sie gegründet. Kurfürst Ottheinrich ließ den nach ihm benannten Teil des Schlosses bauen, 1556–1559, noch heute gerühmt als Kleinod deutscher Architekten- und Bauherrenkunst der Frührenaissance.
Den Dreißigjährigen Krieg überstand das Schloß wie durch ein Wunder ohne Schaden; erst im Pfälzischen Erbfolgekrieg wurde das Schloß 1693 zerstört, nachdem es schon 1689 ein erstes Mal von französischen Truppen gesprengt worden war. Ein gewaltiges Gewitter, das 1764 über Heidelberg niederging, vollendete das Werk der Zerstörung. Trotz vieler Versuche, die Schloßanlage in ihrer alten Herrlichkeit und Pracht wiederherzustellen, ist das Schloß seither eine Ruine geblieben, »ganz gewiß die größte und schönste Ruine Deutschlands«, so Joseph von Eichendorff in seinem Reisebericht aus dem Jahre 1807.
Eine Berühmtheit steht im Keller neben dem Friedrichsbau: das legendäre Heidelberger Weinfaß, das weit über 200 000 Liter faßt und über das Hölderlin seinerzeit schrieb, es sei so groß, daß man oben ganz bequem umhertanzen könne.

▶ **Château de Heidelberg,** Nord du pays de Bade. Aile d'Othon-Henri. Le château de Heidelberg est «certainement la plus grande et la plus belle ruine d'Allemagne» disait en 1807 le poète romantique Joseph von Eichendorff. Dévasté en 1693 par les troupes françaises, presque entièrement détruit en 1704 par un terrible ouragan, l'imposant édifice n'a pas été restauré par la suite dans son ancienne splendeur; seules certaines parties ont été rénovées selon les anciens plans, ainsi par ex. l'aile d'Othon-Henri considérée comme un joyau de l'architecture allemande du début de la Renaissance. A côté se trouve le célèbre Grand Tonneau d'une capacité de plus de 200.000 litres.

▶ **Heidelberg Castle,** North Baden. Otto Heinrich wing. In 1897, the Romantic poet Joseph von Eichendorff called the castle "certainly the largest and finest ruin in Germany". Since this very large building was badly damaged by French troops in 1693, and almost totally destroyed during a thunderstorm in 1764, it has never been fully restored to its former glory, although parts have been rebuilt – such as the Otto Heinrich wing, a fine example of the early German Renaissance style. The adjacent section houses the famous Heidelberg barrel, which accomodates more than 200,000 litres.

◀ **Schloß und Park Schwetzingen,** Nordbaden. Das »Glücksschwein« Karl Theodor – Friedrich der Große nannte so den pfälzischen Kurfürsten – regierte von 1743 bis 1799, war ein kleiner Sonnenkönig, mit prunkvollem Hof, von Mätressen und Künstlern umgeben. Was früher ein Jagd- und Wochenendschlößchen der pfälzischen Kurfürsten war, mauserte sich zur Sommerresidenz großen Stils. Und vor allem: Während der langen Regierungszeit Karl Theodors entstand der herrliche Park. Eine andere Welt tut sich auf. Zuerst nimmt der riesige Gartenkreis in Bann, der, begrenzt von den Zirkelhäusern, unterteilt und unterstrichen von Lindenalleen und Laubengängen, den Blick in die Ferne weitet. Vasen, Hirsche, Putten begleiten in immer entlegenere Gegenden. Pan sitzt auf Tuffsteinfelsen und bläst seine Flöte; Galatea in Marmor steigt nackt aus dem Bade. Durch den Hain der Bäume und den Hain des Apollo geht es immer tiefer hinein und weiter weg. Die Grenzen verschwimmen. Die klaren Linien des Zirkels, die klassischen Formen von Apollo, von Rhein und Donau, die als Männergestalten am See liegen, gehen kaum merklich über in gewundene, bemooste. Da ein Steinhaus, das, so man Einlaß bekommt, mit Kostbarkeiten überrascht, dort ein Tempel, bis sich schließlich in römischer Campagnalandschaft aus Ruinen, auf chinesischer Brücke und in Moschee aus Tausendundeiner Nacht die Gegenwart vollends in Traumbilder auflöst.

◀ **Château et parc de Schwetzingen,** Nord-Bade. Ce merveilleux parc a été aménagé au cours du long règne de l'électeur palatin Carl Theodor (1743 à 1799) que Frédéric le Grand qualifiait de «veinard». De vastes dimensions, il semble appartenir à un autre monde.

◀ **Schwetzingen Palace and Park,** North Baden. This wonderful park was laid out during the long rule of the Elector Palatine Carl Theodor (1743 to 1799) whom Frederick the Great dubbed a "lucky dog". Entering this extensive park, full of surprises and follies, is like entering another world.

▶ **Schloß Ludwigsburg,** Nordwürttemberg. Es ist wohl etwas zu einfach, wollte man den Ludwigsburger Schloßbau allein der »Landverderberin« Wilhelmine von Grävenitz, der Mätresse von Herzog Eberhard Ludwig seit 1706, in die Schuhe schieben. Es gab vorher schon ein kleines Jagdschlößchen mit elf Zimmern hier. 1702 kam dann noch ein Kavalierbau dazu, der 1704 schon wieder einem größeren Jagdschloß weichen mußte, das »Ludwigsburg« hieß und 1706 bis zum Erdgeschoß gediehen war. Genauso ausschlaggebend für den Bau des riesigen Barockschlosses Ludwigsburg dürfte die Tatsache gewesen sein, daß das Stuttgarter Schloß in keiner Weise den Vorstellungen der Zeit von der repräsentativen Residenz eines absolutistischen Herrschers entsprach. Es war »nach alter Art groß und übel gebauen«.
Bis zum Tode Herzog Eberhard Ludwigs (1733) wurde an dem neuen Schloß gebaut, umgeplant, abgerissen, wieder neu gebaut und erweitert. Seit 1724 zur alleinigen Residenz erhoben, entfaltete sich hier nun der ganze Glanz barocker Hofhaltung: Feste, Ballette, Bauernwirtschaften mit echten Bauernkleidern, Schlitten- und Kutschenfahrten und die Jagden. Gleichzeitig mit dem Schloßbau wurde auch die Stadt angelegt.
Noch einmal zurück zur Landverderberin Grävenitz. 1707 ging Eberhard Ludwig mit ihr eine morganatische Ehe ein, das heißt eine nicht standesgemäße Ehe auf bloße Morgengabe, wo die Frau bei der Trauung auf der linken Seite des Mannes steht. Auf kaiserlichen Einspruch hin wurde die Ehe jedoch wieder aufgehoben und die Grävenitz des Landes verwiesen. Durch die Scheinehe mit dem Grafen von Würben konnte sie wieder nach Ludwigsburg zurückkehren, wo sie bis zu ihrem Sturz 1731 als eigentliche Regentin galt. Des Herzogs Gemahlin Johanna Elisabeth von Baden-Durlach hatte sich geweigert, nach Ludwigsburg zu ziehen.
Wir wissen, daß das nur der Anfang der Geschichte von Schloß und Stadt Ludwigsburg ist, daß weitere Glanzzeiten, aber auch schwere Zeiten folgten.

▶ **Château de Ludwigsburg,** Nord-Wurtemberg. A l'emplacement d'un petit pavillon de chasse, on a érigé dans le premier tiers du XVIIIe siècle un des plus grands châteaux baroques d'Allemagne qui, comme beaucoup d'autres, s'est inspiré du modèle de Versailles. Il a été construit par le duc de Wurtemberg, Eberhard Ludwig qui y a transféré sa cour en 1724 et a également fondé la ville de Ludwigsburg.

▶ **Ludwigsburg Palace,** North Württemberg. One of the largest Baroque palaces in Germany, built on the site of a former small hunting lodge in the first third of the 18th century. Modelled on Versailles, like so many other palaces, it was built by Duke Eberhard Ludwig of Württemberg, who transferred his court there in 1724. The town of Ludwigsburg was built at the same time as the palace.

◀ **Schloß Horneck** über Gundelsheim am Neckar, Nord-württemberg. Conrad von Horneck, dessen Geschlecht sich unter den Staufern die Burg über der Ortschaft errichtet hat, tritt um 1250 mit seinen beiden Söhnen in den Deutschen Orden ein, vermacht ihm seinen ganzen Besitz und wird der erste Komtur der Deutschordenskommende Horneck, zeitweise eine der reichsten Kommenden Deutschlands. Nach der Schlacht bei Tannenberg im Jahre 1410, in der der Deutsche Orden von den vereinigten polnischen und litauischen Heeren geschlagen wird, ist Horneck über hundert Jahre Sitz der Deutschmeister, bis die Burg im Bauernkrieg 1525 völlig niedergebrannt wird. In die bald darauf neuerrichtete und 1724 barock ausgebaute Schloß-anlage ist nur der mächtige alte Bergfried einbezogen. Obwohl der Ordensmeister bald nach dem Brand seinen Sitz nach Mergentheim verlegte, blieb Horneck bis zur Säkularisation in der Hand des Deutschen Ordens. 1824 kam das Schloß in Privatbesitz und befindet sich heute im Besitz der Landsmannschaft der »Siebenbürger Sachsen«.

◀ **Château de Horneck** au-dessus de Gundelsheim sur le Neckar, Nord-Wurtemberg. Du milieu du 13ᵉ siècle, époque à laquelle Conrad von Horneck entra dans l'ordre teutonique en lui transférant tous ses biens, jusqu'à la sécularisation de 1806, Horneck fut la propriété de l'ordre et par moments même siège du Maître de l'ordre. Le château a brûlé entièrement pendant la guerre des paysans en 1525 mais fut reconstruit peu après. En 1724, il devait être à nouveau transformé dans le style baroque.

◀ **Horneck Palace** above Gundelsheim on the Neckar, North Württemberg. From the middle of the 13ᵗʰ century, when Conrad von Horneck joined the Teutonic Order and transferred all his possessions to it, until the secularization in 1806, Horneck was in the hands of the Teutonic Order, and was at times the residence of the Order's Master. The castle burnt down completely in the Peasants' War (1525), but was soon rebuilt. In 1724 it was once again rebuilt in the Baroque style.

Das große Vorbild Versailles

Als der berühmte italienische Baumeister Bernini im Jahre 1665 in Paris mit den bei ihm bestellten Plänen für den Ausbau des Louvre abblitzte, wurde offenbar, daß nunmehr die Zeiten der barocken Fassade wie des riesigen, würfelförmigen Palastes um einen geschlossenen Hof passé waren. Natürlich ereignete sich diese Stilwende nicht über Nacht. Doch wenn ein Andreas Schlüter beim Neubau des Berliner Schlosses, den Friedrich I. »nicht aus Lust, sondern aus Necessität« aufführen ließ, nochmals an die italienischen Traditionen anknüpfte, so hatte er dafür seine handfesten Gründe: Es galt, ein älteres Renaissancegeviert in den Entwurf einzubeziehen. Überdies sah man die just etablierte preußische Königswürde in dem vertrauten Schloßtyp fürs erste am überzeugendsten repräsentiert. Unterdessen übten französische Kunst und Kultur auf ganz Europa wachsenden Zauber aus. Raison und Clarté – Vernunft und Klarheit, wie sie sich in jeder Fabel von Lafontaine, in jedem Stilleben von Chardin, in jedem Garten des großen Landschaftskünstlers Le Nôtre spiegeln, prägten auch die französische Architektur. Im Verein mit französischer Dichtung und Philosophie, mit Konversation und Savoir-vivre eroberte sie den Kontinent, entzückte die Herrschenden an der Isar wie an der Spree, an der Donau wie an der Newa. Ihre beliebig interpretierbaren Grundschemata waren die hufeisenförmige Schloßanlage um einen Ehrenhof, den »Cour d'honneur«, das Stadtpalais oder »Hôtel«, das so galant als »Maison de plaisance« vorgestellte Landschloß, französische Gärten, die französische

Versailles, le modèle par excellence

Lorsqu'en 1665, le célèbre architecte italien, le Bernin, auquel mission avait été confiée de construire la façade principale du Louvre, vit ses projets refusés, il devint évident que l'époque de la façade baroque, tout comme celle de l'immense palais en forme de cube autour d'une cour fermée, était bien révolue. Certes, ce changement de style ne se fit pas du jour au lendemain. Et si lors de la reconstruction du château de Berlin, que Frédéric Ier fit faire «non par plaisir mais par nécessité», l'architecte Andreas Schlüter s'inspira encore une fois des traditions italiennes, ce fut pour des raisons bien précises: il s'agissait en effet d'englober dans le projet une ancienne construction carrée de style Renaissance. En outre, on estimait que la dignité royale prussienne nouvellement établie serait bien mieux représentée dans un château d'un modèle familier. Dans le même temps l'art et la culture françaises exerçaient un attrait de plus en plus grand dans toute l'Europe. La raison et la clarté, telles qu'elles se reflétaient dans les fables de La Fontaine, dans les natures mortes de Chardin, dans les jardins dessinés par Le Nôtre, influençaient également l'architecture française. Associée avec la poésie et la philosophie, la conversation et le savoir-vivre français, celle-ci conquit le continent, ravit les princes et les seigneurs des bords de l'Isar comme de la Sprée, du Danube comme de la Néva. Ses schémas de base interprétables à volonté étaient la construction en forme de fer à cheval autour d'une cour d'honneur, le palais citadin, – l'hôtel –, le château de campagne si joliment appelé maison de plaisance

Versailles: the great model

When the famous Italian architect Bernini was sent packing with his plans for the extension of the Louvre, in Paris, in 1665, it became clear that the Baroque façade and the huge cube-shaped palace built round a courtyard had had their day. This change in style did not, of course, take place overnight. But when, for example, Andreas Schlüter rebuilt the Berlin palace – which Frederick I had done "not for pleasure but out of necessity" – he had good reasons for turning to Italy once again: he had to include an older four-fronted Renaissance building enclosing a courtyard in his plans. Furthermore, it was considered that the dignity of kingship just acquired by the Prussian ruler would at first be most convincingly projected by the established type of palace.

By that time, however, French art and culture were exercising an increasing influence on the whole of Europe. Raison and clarté – reason and clarity – as reflected in every fable by La Fontaine, in every Chardin still-life, and in every garden created by that great landscape artist Le Nôtre – were the two prime factors of French architecture. Together with French poetry and philosophy, French polite conversation and savoir-vivre, it conquered the continent, delighted rulers everywhere – on the Isar and the Spree, the Danube and the Neva. The basic patterns, which could be interpreted freely, were the horseshoe-shaped palace complex enclosing the "cour d'honneur", or main courtyard, the town palace, or "hôtel", the country mansion, gallantly named "maison de plaisance", French gardens, and the

Platzanlage. Das alles beherrschende, den ganzen Kontinent überstrahlende Vorbild der europäischen Schlösserbauer war Versailles. Ludwig XIV., in dessen Herrschaft die irdische Pyramide gipfelte, so wie der Allmächtige den Gipfel der Weltpyramide innehatte, hielt sich für Gottes Stellvertreter auf Erden. Er regierte den Staat nicht nur, er verkörperte ihn auch in eigener Person. Im Jahre 1668 hatte er sich entschlossen, ein schon von seinem melancholischen Vater errichtetes Jagdschlößchen an Stelle des Louvre zu seiner Residenz auszubauen. Der ganze Kosmos des absoluten Fürsten sollte in diesem gigantischen Prachtbau und seinen Gärten, die weitere Schlösser umfingen, einen glänzenden Rahmen finden: Regierung, Hofgesellschaft, Jagd, Theater, Kirche, Musik, Tanz und alle nur erdenklichen Zerstreuungen vom Philosophengespräch bis zum Feuerwerk, an denen sich nicht selten auch die Untertanen zuschauend oder gar mitwirkend ergötzen durften. Der dreiflügelige, szenische Aufbau des Versailler Schlosses kam solchen Intentionen fürstlicher Selbstdarstellung entgegen: »Bey dem Schloßbau zu Versaisses (!) ist auch zum Sehen und Gesehen werden die Absicht gewesen, daher es in der Haupt-Gestalt und in dem Mittel-Theil eines Theatro gleichet, so mit seinen Absätzen die Scenen verschaffet, und durch solche sich nach und nach verenget . . .« (aus einem Kompendium von Johann Friedrich Penther).

Zeitweise lebten bis zu zehntausend Menschen in dem weitläufigen Versailler Komplex. Der Sonnenkönig bedurfte dieses gewaltigen Apparats freilich nicht nur als Sinnbild der Macht des absolutistischen Fürstenstaates. Er benötigte in der Tat solche ausgedehnten Quartiere für seine Hofhaltung, schien es ihm doch opportun, möglichst viele der zur Fronde tendierenden Feudalherren an die Residenz zu binden, wo er sie in der Gefangenschaft von Etikette und Hofintrigen unter Kontrolle hatte. Und die französischen Edelleute ließen sich in hellen Scharen von ihren schmucken Landsitzen fortlocken, gaben sich mit ein paar miserablen Dachstuben zufrieden, um nur ja in seinem Dunstkreis zu sein. Womöglich konnten sie dort für hunderttausend Franken den Posten des Halsbindenbewahrers oder den des Nachtstuhlaufsehers ergattern. In den Augen Victor Hugos war das Prachtschloß eine Höflingskaserne.

et les jardins à la française. Et Versailles était sur le continent le modèle par excellence dont s'inspiraient les constructeurs des châteaux européens.

Louis XIV dont le règne marquait l'apogée de la pyramide terrestre, tout comme le Tout-Puissant représentait le sommet de la pyramide du monde, se considérait comme le représentant de Dieu sur la terre. Il ne gouvernait pas seulement l'Etat, il l'incarnait. En 1668, il avait décidé d'agrandir un petit pavillon de chasse qu'avait déjà fait construire son mélancolique de père pour en faire sa résidence à la place du Louvre. Tout l'univers de ce prince absolu devait trouver un cadre brillant dans ce gigantesque et somptueux édifice et ses jardins qui entouraient d'autres châteaux: gouvernement, cour, chasse, théâtre, église, musique et danse et tous les divertissements possibles et imaginables, des conversations philosophiques aux feux d'artifice dont les sujets pouvaient également s'amuser en spectateurs ou même en y participant. La construction scénique à trois ailes du château de Versailles répondait à ces intentions de représentation princière.

«Dans la construction du château de Versailles, il a également été tenu compte du désir de voir et d'être vu, c'est pourquoi l'édifice dans sa forme principale et dans son milieu ressemble à un théâtre, crée des scènes avec ses articulations par lesquelles il se rétrécie peu à peu …» (Extrait d'un compendium de Johann Friedrich Penther). Jusqu'à dix mille personnes habitaient par moments le vaste complexe de Versailles. Ce n'est évidemment pas seulement pour symboliser la puissance de son Etat souverain et absolu que le Roi-Soleil avait besoin de ce gigantesque appareil. Il lui fallait en effet ces vastes édifices pour y loger sa cour car il lui paraissait opportun de lier à sa résidence le plus possible de seigneurs féodaux enclins à fronder et de les emprisonner dans les contraintes de l'étiquette et des intrigues pour mieux les contrôler. Et les nobles français se laissèrent attirer en masse, abandonnant leurs ravissants domaines et se contentant de quelques misérables chambres mansardées pour pouvoir être dans l'entourage de leur souverain. Où ils pouvaient essayer de se procurer pour une centaine de mille francs le poste de gardien de cravates ou celui de surveillant de la chaise percée. Aux yeux de Victor Hugo, le somptueux palais

French "place". The dominating factor, the most important model for the European palace architect, was Versailles.

Louis XIV, in whose person the earthly pyramid had its apex, just as the Almighty formed the apex of the universal pyramid, regarded himself as God's representative on earth. He did not only rule his state, he embodied it. In 1668 he had decided to convert a hunting lodge built by his melancholy father into his residence in place of the Louvre. This immense building and its gardens, which included further palaces, was to provide a magnificent setting for the whole cosmos of the absolute monarch: the government, the court, the hunt, the theatre, the church, music, dancing, and every conceivable entertainment, ranging from philosophical discussions to firework displays; it was not unusual for the citizenry to be allowed to take a passive or even active part. The "scenic" layout of Versailles Palace, with its main building and two wings, provided an ideal background for the demonstration of royal power.

The effect of the layout was theatrical, and it was created as a place in which one could see and be seen, as J. F. Penther remarked. As many as ten thousand people lived in the huge complex from time to time.

But it is not as if Louis needed this tremendous establishment simply to symbolize the power of absolute monarchy. He really felt that such extensive quarters were essential, as it seemed to him wise to keep the feudal lords, who tended to oppose absolutism, at his court—where he could keep them occupied with etiquette and court intrigues.

And, indeed, the French aristocracy allowed themselves to be attracted there in droves, exchanging their own chateaux for a couple of miserable attic rooms simply to be in the vicinity of their overlord. If fortune smiled upon them, they could even, on payment of a hundred thousand francs, obtain a post as Keeper of the King's Cravats, or as Steward of the Royal Stool, for example. To Victor Hugo, the splendid palace was nothing better than a mere barracks for courtiers.

In the course of time, the monarch became a kind of master of ceremonies, the focal point of a great theatrical spectacle. The extent to which life around him became increasingly strangled by etiquette is well illustrated by the daily routine of the levee. No one except the

Mit der Zeit wurde der Herrscher zu einer Art Vergnügungsmarschall, zum Mittelpunkt einer einzigen großen Theateraufführung. Wie das Leben um ihn in einer streng abgezirkelten Etikette immer mehr erstarrte, verdeutlicht der tägliche Ablauf des königlichen Levers. Da durfte kein anderer Ludwig ein Taschentuch in die Hand drücken als der Vorsteher der Taschentücherabteilung. Vier Personen waren damit befaßt, ihm ein Glas Wasser zu kredenzen. Die Darreichung des vorgewärmten Taghemds bildete einen Höhepunkt dieser opernhaften Kulthandlung. Das Recht, Seiner Majestät das Hemd zu reichen, gebührte Monsieur, dem Bruder des Königs. War jener abwesend, stand es den Söhnen und Enkeln zu, wenn auch diese fehlten, den höchsten Herren im Hofrange. Die Darreicher übergaben das Kleidungsstück den Kammerdienern: Der erste Kammerdiener durfte den rechten Ärmel, der Aufseher der Garderobe den linken Ärmel halten, während der Monarch hinter dem vorgehaltenen Schlafrock in das Hemd schlüpfte. Als später Friedrich der Große von dem französischen Hofzeremoniell erfuhr, soll er gespöttelt haben: Wenn er König von Frankreich wäre, so würde seine erste Regierungstat die Ernennung eines Vizekönigs sein, der für ihn Hof zu halten hätte.

Es heißt, der Sonnenkönig habe sterbend seinen Urenkel, den späteren Ludwig XV., gewarnt: »Mein Kind, ich habe den Krieg und die Baukunst zu sehr geliebt, eifere mir darin nicht nach.« Solcher Rat hat die Ohren der europäischen Fürsten offenbar nie erreicht. Vielmehr bewunderten sie Ludwigs Herrschaftsstil und eiferten ihm auch in ihren Bauvorhaben nach, so gut sie konnten. An vielen deutschen Schlössern läßt sich das heute noch ablesen, besonders deutlich an Herrenchiemsee. Es ist eine fürstliche Verbeugung vor Versailles, eine späte künstlerische Verherrlichung des Absolutismus.

était une caserne de courtisans. Avec le temps, le souverain devint une sorte de maréchal des plaisirs, au centre d'une unique et grande représentation théâtrale. Le déroulement quotidien du lever du roi montre combien, dans son entourage, la vie se figea de plus en plus dans une étiquette très stricte. Le chef du service des mouchoirs était seul autorisé à présenter un mouchoir à Louis XIV. Quatre personnes étaient occupées à lui servir un verre d'eau. La présentation de la chemise de jour préchauffée constituait l'apogée de cette cérémonie digne d'un opéra. Le droit de présenter la chemise à sa Majesté revenait à Monsieur, le frère du roi. En son absence, il incombait aux fils et aux petits-enfants et, si ceux-ci étaient également absents, aux grands dignitaires. La chemise était remise aux valets de chambre: le premier valet tenait la manche droite, le préposé à la garde-robe la manche gauche pendant que le monarque enfilait sa chemise derrière sa chemise de nuit qu'on lui tenait en guise de paravent. Lorsque plus tard Frédéric le Grand eut connaissance du cérémonial qui régnait à la cour de France, il s'en serait moqué et aurait déclaré que s'il était roi de France, son premier acte de gouvernement serait de nommer un vice-roi qui aurait à tenir cour à sa place. On dit qu'avant de mourir le Roi-Soleil aurait mis en garde son petit-fils, celui qui allait devenir le roi Louis XV: «Mon enfant, lui aurait-il dit, j'ai trop aimé la guerre et l'architecture, ne m'imite pas en cela.» Ce conseil n'est apparemment pas parvenu aux oreilles des princes européens. Bien au contraire ils admiraient la façon de régner de Louis XIV et l'imitèrent autant qu'ils purent, également dans leurs projets de construction. Nombre de châteaux allemands témoignent aujourd'hui encore de leur zèle et tout particulièrement le Herrenchiemsee, qui constitue une révérence princière à Versailles, une glorification artistique tardive de l'absolutisme.

steward of the handkerchief department was permitted to hand one to Louis. Four people were required to serve him a glass of water. The presentation of the pre-warmed shirt formed the climax of this opera-like cultic performance. The privilege of handing his majesty the shirt was reserved for the king's brother. If he were absent the sons and grandsons were entitle to render this service, and if they, too, were absent, the highest-ranking court officials. The presenter of the shirt handed it to the valets de chambre: the first valet was permitted to hold the right sleeve of the shirt, the keeper of the wardrobe held the left sleeve; the monarch slipped into the shirt while sheltered by a dressing gown which was held up before him. When Frederick the Great later heard about the ceremony observed at the French court he is said to have quipped that if he were king of France his first act of government would be to appoint a viceroy who could hold court in his place.

It is said that on his death-bed Louis XIV warned his great-grandson, the later Louis XV: "My child, I loved war and building too dearly, do not emulate me." It seems that this advice never reached the ears of the other European princes. On the contrary, they admired Louis' style, and also emulated his passion for building as best they could. The results can still be seen in many German palaces, most particularly in Herrenchiemsee: a princely bow to Versailles, a late, artistic glorification of absolutism.

Als der »Bauwurmb« grassierte

Nach den Elendszeiten des Dreißigjährigen Krieges, der die politischen und konfessionellen Fronten in Mitteleuropa verhärtet hatte, nach den Türkenkriegen und jenen mit Frankreich hatten die deutschen Potentaten des Barock ihre Herrschaft auch in den staatlichen Winzlingen, den Duodezfürstentümern, festigen können. Nun waren sie fast alle von der gleichen Leidenschaft gepackt: von jenem »Bauwurmb«, zu dem sich die Schönborns, deren Name nicht nur mit Würzburg, Bruchsal und Pommersfelden untrennbar verbunden ist, ganz offen bekannten. Die Dreiflügelanlage, auch hierzulande typisches Merkmal des Barockschlosses, ließ höchst abwechslungsreiche Varianten zu. Stets aber verlangte ihr architektonisches Konzept nach einem harmonischen Dialog mit dem Umfeld, das den Schlössern von Landschaftsarchitekten maßgerecht angepaßt wurde. Ludwig XIV. hatte nach dem Urteil eines Zeitgenossen den »trübseligsten, undankbarsten aller Orte« für seine Residenz erwählt, »aussichts-, wald- und wasserarm, wo der Boden Sand und Sumpf und die Luft infolgedessen ungesund war«. Man erklärte das mit seinem Ehrgeiz, die Natur zu unterwerfen. Der dazumal grassierende »Bauwurmb« schien diesen Drang einzuschließen, denn mit dem Bau der großen Barockschlösser kam nun auch in Deutschland die seit der Renaissance mit Maßen gepflegte Gartenkunst zu schönster Blüte. Aus älterer Zeit ist vornehmlich der Terrassengarten beim Heidelberger Schloß zu nennen. Zwar hielt er einem Vergleich mit italienischen Vorbildern nicht

La frénésie de construire

Après la sombre période de la guerre de trente ans, qui avait durci les fronts politiques et religieux en Europe centrale, après les guerres contre les Turcs et la France, les potentats allemands du baroque avaient pu consolider leur pouvoir même dans les petits Etats. Et à présent ils étaient animés de la même passion, de cette frénésie de construire qu'avouaient ouvertement les Schönborn dont le nom est indissociablement lié entre autres à Wurtzbourg, Bruchsal et Pommersfelden. L'édifice à trois ailes, caractéristique typique du château baroque en Allemagne également, autorisait les plus grandes variantes. Mais sa conception architectonique exigeait toujours un dialogue harmonieux avec l'environnement que les architectes paysagistes adaptaient sur mesure aux châteaux. Selon le jugement d'un contemporain, Louis XIV avait choisi pour sa résidence «le plus triste et le plus ingrat des endroits, pauvre en points de vue, en forêts et en eau, où le terrain n'était que sable et marécage et l'air par conséquent malsain». On expliquait ce choix par son ambition de dominer la nature. La frénésie de construire qui sévissait à ce moment-là semblait englober ce désir, car avec la construction des grands châteaux de style baroque l'art des jardins pratiqué en masse en Allemagne depuis la Renaissance connut là également une période florissante. Il faut surtout mentionner ici le jardin en terrasses, d'une époque plus ancienne du château de Heidelberg. Il ne soutenait certes pas la comparaison avec des modèles italiens mais ses installations mécaniques et hydrauliques qui servaient à animer les figures des

Building mania

After the agonies of the Thirty Years' War, which had drawn sharp political and religious boundaries in Central Europe, after the Turkish wars, and those with France, the German potentates of the Baroque period had succeeded in consolidating their power even in the petty princedoms. Now nearly all of them were affected by the same passion: a mania for building, and some of them more than others: the Schönborns, for example, whose name is inseparably linked with great buildings such as those in Würzburg, Bruchsal, and Pommersfelden. The horeshoe-shaped palace – main building flanked by two wings – a typical Baroque form in Germany, too, permitted a great number of variations. This form always called for a harmonious dialogue with the surroundings, which were tailored by landscape gardeners to fit in with the design of the individual palace. According to one of his contemporaries, Louis XIV chose the "bleakest, most unthankful of all places" for his residence, "lacking in views, woodland, and water, where the soil was sand and marsh, and the air was consequently unhealthy." This choice of site was explained by suggesting it was his ambition to subjugate Nature. This ambition seems to have formed one of the symptoms of the building mania that took on epidemic form in Germany, too, because with the building of the great Baroque palaces, the art of gardening flourished after its more modest beginnings during the Renaissance period. One of the finest older-style gardens is the terraced one of Heidelberg Palace. Although it cannot really stand comparison

stand, doch erregten insbesondere seine mechanischen und hydraulischen Anlagen zur Mobilisierung von Grottenfiguren sowie zur Imitation von lieblichem Tirili und Kuckucksruf helles Entzücken.

Die neuen Gärten schufen reizvolle Übergänge zwischen Architektur und Landschaft. Alleen, Parkwege und Kanälchen tasteten sich weit über den Park hinaus in das Umland vor. Anders als die ja auch schon geometrisch strukturierten Renaissancegärten suchen sie den Zusammenklang mit dem Schloß, die Fortsetzung der architektonischen Komposition mit anderen Mitteln. Bunte Kieswege und aus Buchsbaum geschnittene Ornamente unterteilen das »Parterre«, die unmittelbar am Schloß gelegene ebene Fläche, in strenge kleine Muster, als sei der Park mit Teppichen ausgelegt. Eine Mittelachse beherrscht die Anlage, Freitreppen führen vom Schloß zu den verschiedenen Ebenen des mit Blumenarrangements und Bosketten, spiegelnden Wasserflächen und Springbrunnen, Balustraden, anmutigen Plastiken und kunstvoll gestutzten Bäumen verwöhnten Parks.

Der Aufwand für diese barocken Außenräume war ungeheuerlich. Scharen von Gärtnern waren ständig um die Wege. In den Rabatten von Versailles wurden dreimal täglich die Blumen ausgewechselt, damit sich der König zu allen Tageszeiten an neuen Farb- und Duftkompositionen erfreuen konnte. Zwei Millionen Blumentöpfe standen für diesen gärtnerischen Service zur Verfügung. Der Frühling wurde in einem Jahr mit achtzehn Millionen aus Holland importierten Tulpenzwiebeln inthronisiert.

Es hieß von Le Nôtre, dem tonangebenden Gartenarchitekten des Barock, er wolle die Natur mit den Mitteln der Kunst beschämen – ein Ziel, über das wir heute ein bißchen die Nase rümpfen mögen. Doch die Produkte solch ambitiöser Vergewaltigung bewundern wir nach wie vor, ergehen uns nur zu gern in dieser geschniegelten Flora, auch wenn selbige Nase wie zur Spargelzeit in Schwetzingen schon mal von einer Duftkomposition von Flieder und Knoblauch düpiert wird.

grottes et à imiter de charmants gazouillis et le chant du coucou suscitaient l'émerveillement. Les nouveaux jardins créaient de plaisantes transitions entre l'architecture et le paysage. Des allées, des parcs et des canaux se hasardaient au-delà des limites du parc dans le paysage environnant. De façon différente des jardins Renaissance, eux aussi déjà géométriquement structurés, ils recherchent l'harmonie avec le château, visent la poursuite de la composition architectonique avec d'autres moyens. Des allées de gravier en couleur et des ornements constitués d'arbustes taillés divisent le parterre qui, étalé devant le château avec ses petits motifs précis, donne l'impression que le parc est recouvert de tapis. Un axe médian domine l'ensemble, un perron descend du château aux différents niveaux du parc agrémenté d'arrangements floraux et de bosquets, de miroirs d'eau et de jets d'eau, de balustrades, de gracieuses sculptures et d'arbres savamment disposés. Les frais occasionnés par ces espaces de style baroque étaient énormes. Des légions de jardiniers étaient constamment à l'œuvre. Les fleurs des plates-bandes de Versailles étaient changées trois fois par jour afin que le roi puisse jouir à tout moment de la journée de nouvelles compositions de couleurs et de parfums. Deux millions de pots de fleurs étaient pour cela à la disposition des jardiniers. Le printemps fut intronisé une année avec dix-huit millions d'oignons de tulipes importés de Hollande. De Le Nôtre, le dessinateur de jardins qui donna le ton à l'époque du baroque, on disait qu'il voulait confondre la nature avec les moyens de l'art – un but qui prête quelque peu à sourire aujourd'hui. Malgré tout, nous continuons d'admirer les produits de ces contraintes ambitieuses imposées à la nature, nous ne nous promenons que trop volontiers au milieu de cette flore trop disciplinée même si nous sommes abusés parfois; comme à l'époque des asperges à Schwetzingen, d'un parfum composé de lilas et d'ail.

with its Italian models, its mechanical and hydraulic devices that activated grotto figures and imitated the twitterings of birds and the cuckoo's call were considered quite ravishing at the time.

The new gardens created charming transitions between architecture and landscape. Avenues, parkland paths, and little canals stretched their tentacles far beyond the park into the surrounding countryside. Unlike the Renaissance gardens, which were also geometrically structured, they sought to harmonize with the palace, sought to continue architectural composition by other means. Paths of coloured gravel and trimmed box hedges, subdivided the "parterre", the level garden directly adjacent to the palace, into small ornamental patterns, as if the park were laid with carpets. A central axis dominated the whole, flights of stairs led down from the palace into the various levels of garden decorated with flower beds and shrubberies, reflecting pools of water and fountains, balustrades, statues, and topiary work.

The cost of these Baroque exteriors was enormous. Hordes of gardeners were constantly at work. The plants in the Versailles flower-beds were changed three times a day so that the king could enjoy new colour and scent combinations at all times of day.

Two million potted flowers were at the gardeners' disposal for this service. Spring was welcomed in one year with eighteen million tulips grown from bulbs imported from Holland.

It was said of Le Nôtre, the most influential gardener of the Baroque period, that he wanted to put Nature to shame by artistic means, an aim at which we are likely to wrinkle our noses today. Yet we still admire the products of such ambitious environmental rapes, enjoy looking at such artificially controlled flora, even though our basic attitude might favour more emancipated forms of Nature.

Bei Hofe

»Blühendes Barock« heißt der Slogan, der die Massen im Sommer nach Ludwigsburg zieht. Wir verzichteten auf Blühendes, um weniger Touristen und mehr Barock zu erleben. Aber die Rechnung ging nicht ganz auf, denn die für den späten Novembertag noch recht freundlichen Temperaturen spielten sich in den ungeheizten Räumen der ausgedehnten Vierflügelanlage als grimmige Kälte auf und dämpften unser Interesse an den Interieurs empfindlich. Angesichts so kalter Pracht und allzu zierlicher Öfchen, die vielfach von den Korridoren aus zu bedienen waren, betrachteten wir die Porträts der längst verblichenen Schloßbewohner fast ohne Neid. Der amtlich bestellte Führer speiste das schüttere Häuflein der Besucher mit öden Jahreszahlen und Namen ab, kam häufig auf die erstaunliche Leibesfülle des Herzogs Eberhard Ludwig zu sprechen und versäumte in keinem der prächtig ausgestatteten Gemächer zu erwähnen, wie hochkarätig diese Zierleiste oder jener Leuchter vergoldet sei.
Durch ein Fenster fiel der Blick auf das in der Hauptachse des Schlosses angesiedelte Lustschlößchen Favorite. Einst residierte darin die Grävenitz, jene wegen ihrer Herrschsucht und Strenge bei den Untertanen verhaßte Mätresse des Herzogs, um deren schöner Augen willen Schloß und Stadt Ludwigsburg angeblich aus dem Boden gestampft worden seien. Obwohl diese romantische Entstehungsgeschichte zur Legende degradiert worden ist – der Herzog hatte den Bau schon begonnen, als er sich der Mecklenburgerin zuwandte –, kommt sie den damaligen Verhältnissen am

A la cour

«Baroque fleuri» est le slogan des floralies qui attirent chaque été les foules à Ludwigsburg. Nous renonçâmes au côté fleuri pour mieux goûter le baroque en compagnie de moins de touristes. Mais nos calculs ne s'avérèrent pas tout à fait justes car la température encore assez agréable en cette fin de novembre se transforma en un froid rigoureux dans les salles sans chauffage de ce vaste ensemble à quatre ailes et atténua considérablement l'intérêt que nous portions à l'intérieur du château. Devant ce luxe si froid et des poêles par trop graciles et qu'il fallait fréquemment actionner des couloirs, nous contemplâmes presque sans envie les portraits des habitants du château morts depuis longtemps. Le guide officiel, qui abreuvait le petit groupe de visiteurs de chiffres ennuyeux et de noms, revenait souvent sur l'étonnant embonpoint du duc Eberhard Ludwig et ne manquait pas de mentionner dans les somptueux appartements la beauté de telle moulure ou la dorure de tel lustre.
Par une fenêtre, on pouvait voir le pavillon de la favorite situé dans l'axe principal du château. C'est là qu'habitait autrefois la Grävenitz, la favorite du duc détestée par le peuple à cause de son esprit autoritaire et dur et pour les beaux yeux de laquelle on aurait fait jaillir du sol le château et la ville de Ludwigsburg. Bien que cette histoire romantique ne soit qu'une légende – le duc avait en effet commencé les travaux de construction avant de s'intéresser à la Mecklembourgeoise – elle est pourtant très proche de la situation qui prévalait à l'époque à la cour wurtembergeoise. Il

At court

"Baroque in bloom" is the slogan which attracts masses of tourists to Ludwigsburg in the summer. We decided to dispense with horticultural joys in favour of fewer tourists and more Baroque – by going there in late November. But although the temperatures outside were still pleasant for the time of the year, conditions inside the extensive, unheated palace were arctic, and succeeded in considerably moderating our interest in the interior. In view of such icy splendour and the all-too dainty-looking little stoves, most of which were arranged to be heated from the corridors, we looked at the portraits of the long-dead inhabitants of the palace with little envy. The official guide reeled off dates and names to the small group, made frequent reference to the amazing girth of Duke Eberhard Ludwig, and did not fail in any of the magnificently furnished rooms to mention how much gold-leaf had been used to gild a particular moulding or chandelier. Through a window we caught a glimpse of the little Baroque palace called Favorite to the north of the main palace. It was at one time occupied by Mme. Grävenitz, the duke's mistress, much hated among his subjects because of her despotic nature, for whose sake the palace and town of Ludwigsburg are said to have been created. Although this romantic story has been shown to be false – the duke had already started the building operations before the attachment with the lady began – it does say something about the conditions at the Court of Württemberg at that time. Heinrich Heine was later to say that it was difficult not to be moral in

württembergischen Hofe doch wohl ziemlich nahe. Es sei schwer, in Stuttgart nicht moralisch zu sein, hat Heinrich Heine später behauptet. Im Hause Württemberg ist man solcher Schwierigkeiten bisweilen Herr geworden.

Immerhin ist aus Eberhard Ludwigs Entschluß, seine Hofhaltung von Stuttgart nach Ludwigsburg zu verlegen, eines der größten Barockschlösser Europas entstanden: 452 Räume in 18 Gebäuden, eine vielgliedrige Anlage, die sich durch besondere Geschlossenheit auszeichnet. Den Wetteifer mit Versailles kann auch Ludwigsburg nicht verleugnen. Selbst die Blumen im Schloßpark sprechen französisch. Und über den Lebensstil bei Hofe berichtet Justinus Kerner: »So fanden in der dem Schloß gegenüberliegenden Favorite die ungeheuersten Feuerwerke statt, mit einem Aufwand, der dem Hof von Versailles gleichkam. Auf dem bei der Stadt gelegenen See wurden Feste gegeben, bei denen schöne Mädchen der Stadt als Seeköniginnen figurieren mußten. In seinen früheren Zeiten schuf der Herzog oft mitten im Winter, in den sein Geburtstag fiel, Zaubergärten, ähnlich denen, die in ›Tausendundeine Nacht‹ vorkommen. Er ließ in der Mitte des Herbstes über die wirklich bestehenden schönen Orangengärten von tausend Fuß in der Länge und hundert Fuß in der Breite ein ungeheures Gebäude aus Glas errichten, das sie vor den Einwirkungen des Winters schützte ...« Der weitgereiste Baron Pöllnitz ergänzt: »Übrigens ist der Württembergische Hof einer der zahlreichsten in Deutschland. Se. Durchlaucht lassen Französische Comödie halten, wo jedermann frey zugelassen wird, und haben wir über das fast beständig Ball, Verkleidung, und Musicalisches Concert. Alle Tage ist große Gesellschaft bei der Maîtresse des Herzogs, und spielt man in ihrem Zimmer Piquet, Quadrille und Pharaon, so daß man hier alle Lustbarkeiten, welche an großen Höfen sonst im Schwange gehen, zu genießen hat.« Daß die skandalöse Herrschaft der Grävenitz über Württemberg nach zwanzig Jahren dann doch ein Ende nahm, ist der energischen Intervention des Preußenkönigs Friedrich Wilhelm I. zu dancken, der im Sommer 1730 als Gast in Ludwigsburg weilte.

Im neuen Corps de logis kann man ausgesuchtes Porzellan bewundern. Wie Meißen, Nymphenburg oder Berlin, so hatte auch

est difficile, a affirmé plus tard Heinrich Heine, de ne pas être moral à Stuttgart. Dans la Maison de Wurtemberg on a surmonté de temps en temps ces difficultés.

Quoiqu'il en soit c'est la décision du duc Eberhard Ludwig de transférer sa cour de Stuttgart à Ludwigsburg qui a donné naissance à l'un des plus grands châteaux baroques d'Europe: 452 pièces réparties dans dix-huit bâtiments, un ensemble à parties multiples qui se caractérise par une unité particulière. Ludwigsburg également ne peut nier avoir voulu rivaliser avec Versailles. Même le jardin est à la française.

Et sur le style de vie qui régnait à la cour, Justinus Kerner rapporte: «C'est ainsi que dans le parc de la Favorite situé en face du château avaient lieu les plus extraordinaires feux d'artifice dont l'ampleur égalait celle à la cour de Versailles. Sur le lac à proximité de la ville étaient données des fêtes au cours desquelles les jolies filles de la ville devaient faire figure de reines du lac. Autrefois, le duc créait, souvent au milieu de l'hiver, époque à laquelle tombait son anniversaire, des jardins enchantés semblables à ceux que l'on rencontre dans les Mille et une Nuits. A la mi-automne, il faisait construire un immense édifice en verre au-dessus de la merveilleuse orangerie de mille pieds de long et cent pieds de large pour la protéger des rigueurs de l'hiver...»

Le baron Pöllnitz qui a beaucoup voyagé ajoute: «Du reste, la cour de Wurtemberg est une des plus nombreuses en Allemagne. Son Altesse y fait jouer des comédies françaises auxquelles chacun peut assister et nous avons en plus des bals presque en permanence, des travestissements et des concerts de musique. Tous les jours il y a grand monde chez la maîtresse du duc et l'on joue dans sa chambre au piquet, au quadrille et au pharaon de sorte que l'on peut jouir ici de tous les plaisirs qui sont autrement en vogue dans les grandes cours.» Que le règne scandaleux de la Grävenitz sur le Wurtemberg ait quand même pris fin au bout de vingt ans est dû à l'intervention énergique du roi de Prusse Frédéric Guillaume Ier qui séjourna pendant l'été 1730 à Ludwigsburg. Dans le Nouveau Corps de logis, on peut admirer de la très belle porcelaine. Comme Meissen, Nymphenburg ou Berlin, Ludwigsburg avait également sa célèbre manufacture. J'étais à cette heure l'unique

Stuttgart. The House of Württemberg knew how to avoid this difficulty at times – by, for example, shifting the court from Stuttgart to Ludwigsburg.

Ludwig's decision to do precisely this resulted in the building of one of Europe's largest Baroque palaces: 452 rooms in 18 buildings, an elaborate, but nevertheless compact, complex. Here, too, the desire to compete with Versailles is undeniable – even the flowers in the Ludwigsburg palace gardens speak French. Justinus Kerner reports thus on the life-style at the Württemberg court. "The most tremendous firework displays were put on at the Favorite, opposite the main palace, for an expenditure equal to that of Versailles. Fêtes were held on the lake near the town at which pretty girls from the town had to figure as Lake Queens. In his younger years, the duke had magical gardens created like those described in 'A Thousand and One Nights' – often in the middle of winter, when his birthday was. Every autumn he had a huge building of glass erected over the fine orange garden, which measured a thousand feet by one hundred feet, in order to protect it from the effects of winter ...". The much-travelled Baron Pöllnitz adds: "The Court of Württemberg is, by the way, one of the largest in Germany. His Highness has French comedies put on to which everyone is admitted, and in addition to that we have balls, masques, and musical concerts almost continuously. There is a grand assembly every day at the duke's mistress', and in her room one plays piquet, quadrille, and faro, so that all the pleasures of the great courts can be enjoyed here." The fact that the scandalous regime of Mme. Grävenitz in Württemberg was finally brought to an end after twenty years was due to energetic intervention by the Prussian king, Friedrich Wilhelm I, who stayed at Ludwigsburg as a guest in the summer of 1730.

A collection of choice porcelain is on show in the new "Corps de logis". Ludwigsburg, like Meissen, Nymphenburg, and Berlin, had its own famous porcelain manufactory. I was the only visitor at the time, and was given friendly protection by three guards – two male and one female. I fell in love at first sight with the charming little figures in the showcase: there they were, dancing together, making music, emulating Nimrod, binding wreaths, flirting with one another, pursuing various trades

Ludwigsburg seine berühmte Manufaktur. Hier war ich die einzige Besucherin zu dieser Stunde, von zwei Aufsehern und einer Aufseherin freundlich beschützt. Auf den ersten Blick verliebte ich mich in die kapriziösen Figürchen, die da in den Vitrinen miteinander eine Gavotte tanzen, musizieren, auf Nimrods Spuren wandeln, Kränze winden, einander Augen machen, mit ebenso unnachahmlicher Grazie dies oder jenes Handwerk betreiben, Gänse schlachten, Korn bündeln. Eine Schöne schmiegt sich in die Arme eines bocksfüßigen Fauns, eine andere, ein Zicklein im Arm haltend, thront im Reitsitz auf einer Ziege, während ein Galan das Tier melkt.

Ich sah mich in den eleganten Räumen um, über deren Ausstattung schlaue Täfelchen dem Besucher Auskunft erteilen. Besonders zu beachten seien etwa die Supraporten (gerahmte Felder über den Türen, häufig bemalt), die Boiserien (geschweifte, fein verflochtene Leistenrahmungen), diese Rocaillen (muschelförmige, asymmetrische Elemente des Spätbarock, denen das Rokoko seinen Namen dankt), jene Trumeaus (Pfeilerspiegel). Sehr schmeichelhaft, wie man meine Vertrautheit mit dem kunsthistorischen Vokabular hier einschätzt, dachte ich, hatte doch der Verfasser die deutsche Übersetzung der Fachausdrücke nicht für nötig befunden.

Im Geist bevölkerte ich die Szene mit eleganten Paaren. Weiß der Himmel, weshalb ich meine Phantasiefiguren in jedem Park oder Schloß gleich welcher Epoche in Rokokokostümen auftreten sehe, obschon sich die Mode doch auch in früheren Zeiten zu wandeln pflegte. So wären denn in dem wunderschönen schleswig-holsteinischen Renaissanceschloß Glücksburg für die Damen zweiteilige Kleider mit Schleppe, Leibchen, Puffärmeln und Netzhaube, für die Herren die Schaube, ein offener, pelzverbrämter Überrock mit faltigen Ärmeln wahrlich besser am Platze. Im Tegeler Schloß wiederum, das Karl Friedrich Schinkel für die Humboldts erbaut hat, sollten die Damen hochgegürtete, fußfreie Kleider, die Herren zum farbigen Rock schmale Pantalons und Zylinder tragen.

Nun – in Ludwigsburg waren die weiß gepuderten Perücken, die ich meinen Herrschaften automatisch aufzusetzen pflege, ja durchaus stilgerecht. Ich steckte die Damen also wieder einmal in bauschige Reifröcke mit Rüschen, Spitzen und Volants, schnürte ihnen eine

visiteuse protégée amicalement par deux gardiens et une gardienne. J'eus le coup de foudre pour les capricieuses figurines qui dans les vitrines dansent une gavotte, font de la musique, marchent sur les traces de Nemrod, tressent des couronnes, se font les yeux doux, s'occupent avec une grâce inimitable aux travaux les plus divers, tuent des oies, ou lient le blé. Une belle se love dans les bras d'un faune aux pieds de bouc; une autre, qui tient dans ses bras un cabri, est à cheval sur une chèvre qu'un galant est en train de traire.

Je visitais les élégantes pièces sur la décoration desquelles de petits écriteaux renseignaient le visiteur. Les dessus-de-porte, les boiseries, les rocailles (ces éléments contournés rappelant les volutes des coquillages de la fin du baroque auquel le rococo doit son nom), les trumeaux, pouvait-on lire, étaient à remarquer en particulier.

En imagination, je peuplais la scène de couples élégants. Dieu sait pourquoi, quelle que soit l'époque du parc ou du château où je les faisais apparaître, je voyais mes personnages habillés de costumes rococo, alors que la mode bien avant cette époque se plaisait également aux caprices. C'est ainsi que dans le merveilleux château Renaissance de Glücksburg dans le Schleswig-Holstein, il aurait été plus de mise d'habiller mes dames de robes à deux pièces avec traîne, corselet, manches à gigot et bonnet de résille et mes messieurs d'un manteau court chamarré de fourrure aux manches plissées. Par contre, dans le château de Tegel, que Karl Friedrich Schinkel a bâti pour les Humboldt, les dames devaient porter des robes serrées très haut à la taille et dégageant le pied, les hommes des redingotes de couleur sur des pantalons ajustés et des hauts-de-forme.

Mais, à Ludwigsburg, les perruques blanches poudrées dont je coiffais automatiquement mes personnages étaient tout à fait dans le style. J'habillais donc encore une fois mes dames de crinolines agrémentées de ruches, de dentelles et de volants, leur donnait une taille de guêpe, revêtais les messieurs de culottes en soie, d'un gilet, d'un habit long, brodé avec beaucoup de fantaisie, de bas clairs et les chaussais de souliers à boucles. Accordais aux dames une tasse de chocolat et aux messieurs une prise d'une ravissante tabatière ornée de pierres précieuses. Happais au passage des bribes de leur conversation

with utter gracefulness, slaughtering geese, binding corn. One young lovely languishes in the arms of a faun, another, holding a kid in her arms, sits astride a goat while the animal is milked by some gallant.

I looked around the elegant rooms and examined the little signs providing information on the furnishings. Special notice should be taken of, for example, the sopraporte (framed areas above doors, often containing paintings), the boiseries (curved, intricately interwoven moulded frames), these particular rocailles (shell-shaped, asymmetrical late-Baroque decorative elements from which the Rococo style has its name), those particular trumeaux (pier-glasses). Very flattering, I thought to myself: the curator evidently expected my understanding of such terms would be sound enough to make any translation superfluous.

I visualized the rooms as they might look peopled with elegant couples. Heaven knows why my imagination always dresses such people in Rococo garb, ignoring the period in which the palace was built or the park laid out, and the fact that fashions were constantly changing in earlier ages too. Thus, in the lovely Renaissance palace of Glücksburg in Schleswig-Holstein, the ladies would be more appropriately dressed in two-part gowns with trains, bodices, puffed sleeves, and net bonnets, and the gentlemen in long open-fronted mantles trimmed with fur and with pleated sleeves. In Tegel Palace, however, which Karl Friedrich Schinkel built for the Humboldt family, the ladies should wear high-waisted frocks leaving their feet uncovered, while the gentlemen should dress in coloured jackets with tight-fitting trousers and top-hats.

Fortunately the white powdered wigs in which I usually clothe the ladies and gentlemen of my imagination when I visit palaces were perfectly in place in Ludwigsburg. So I happily put my ladies in voluminous crinolines, with frills, flounces, and ruffles, laced up their waists to wasp-like proportions, clothed the gentlemen in silk knee-breeches, waistcoats, imaginatively embroidered long coats, light-coloured stockings, and buckled shoes. I granted the ladies a cup of chocolate, and the gentlemen a pinch of snuff from their bejewelled snuff-boxes. Suggested they should flirt a little. But then I had

Wespentaille, zog den Herren seidene Knie-hosen an, ein Gilet, wie man damals die We-ste nannte, einen phantasievoll bestickten, langen Leibrock, helle Strümpfe, dazu Schnallenschuhe. Gönnte den Damen eine Tasse Schokolade, den Herren eine Prise aus der mit Edelsteinen kunstvoll verzierten Ta-batiere. Empfahl ihnen, ein wenig zu schar-mutzieren. Konnte ihrer geistreichen Konver-sation über die Aufführung eines umstrittenen Singspiels von Jean-Jacques Rousseau und Friedrichs des Großen überraschendes Faible für Watteau leider nur mühsam folgen, weil ich sie in französischer Zunge parlieren ließ.

»Das muß ein Leben gewesen sein in diesen Räumen«, dachte ich laut. »Für die Reichen schon«, versetzte die Aufsichtsdame. Da fiel mir das Mezzanin wieder ein, jenes niedrige, fensterlose Zwischengeschoß mit den Kam-mern für die Bediensteten.

savante sur la représentation d'une opérette contestée de Jean-Jacques Rousseau et le fai-ble surprenant de Frédéric le Grand pour Watteau.

«Quelle vie a-t-on dû mener dans ces pièces» pensais-je tout haut. «Pour les riches certes» répliqua la gardienne. Ce qui me fit songer à nouveau aux mezzanines, ces petits entresols aménagés entre deux étages, sans fenêtre, où les serviteurs avaient leurs chambres.

considerable difficulty following their witty conversation on the performance of a con-troversial opera by Jean Jacques Rousseau, and Frederick the Great's surprising penchant for Watteau, because, to be in style, they had to do their talking in French.

"What fine lives they must have lived in these rooms", I thought aloud. "The rich did" – added the female guard. I then remembered the mezzanine, that low-ceilinged, window-less storey where the servants housed.

▶ **Schloß Neuenstein,** Hohenlohe, Nordwürttemberg. Dieses Schloß könnte doch Kulisse sein für Märchen wie der Froschkönig oder Dornröschen, besser als viele andere Schlösser. Nur – woran liegt das? Haben wir solche Bilder gesehen, als uns aus Märchenbüchern vorgelesen wurde? Ist es vielleicht so, daß beides, diese Märchen und diese Architektur, ein und derselben Realität entsprangen, Seelenbilder sind einer bestimmten Zeit, eines kindlichen Bewußtseins in unserer europäischen Geschichte? Noch ein Versuch: Liegt es vielleicht an dem Efeu, an den Rundtürmen, den Giebeln und Türmchen und den vielen Spindeltreppen im Innern? Ein bauliches Detail, eine Besonderheit Neuensteins, an die sich fast unweigerlich die Erinnerung an jenen Tag heftet, an dem die Prinzessin in die abgelegene Turmstube gerät und sich in den Finger sticht, um die Weissagung der bösen Fee zu erfüllen. Widerstehen wir solchen Phantasien, bleibt übrig: ein Graf Ludwig Casimir aus dem Hause Hohenlohe als Bauherr, der um 1565 eine alte Wasserburg zum Schloß und zur Residenz der neugebildeten Linie Hohenlohe-Neuenstein umbauen ließ. Baumeister war Balthasar Wolff, und Anfang des 17. Jahrhunderts wurde das Schloß unter Mitwirkung des bekannten Renaissance-Baumeisters Heinrich Schickhardt vollendet.

▶ **Château de Neuenstein,** Hohenlohe, Nord-Wurtemberg. Avec ses tours rondes, ses pignons, ses tourelles et son lierre, ce château Renaissance semble entouré d'une aura de rêve et éveille en nous des images de contes de fées. Il a été construit en 1565 lorsqu'un ancien castel d'eau a été transformé pour servir de résidence aux comtes de Hohenlohe-Neuenstein.

▶ **Neuenstein Palace,** Hohenlohe, North Württemberg. There is a dreamy atmosphere about this Renaissance palace, which, with its round towers, gables, turrets, and ivy is suggestive of fairytales. It was built in 1565, when a previous moated castle was converted into a palace for the Counts of Hohenlohe-Neuenstein.

◀ **Schloß und Stadt Langenburg,** Hohenlohe, Nordwürttemberg. Eine Höhenburg, 200 Meter hoch über dem Jagsttal auf einem schmalen Bergrücken, exponiert, wie der Adelige in der Gesellschaft. Aber auch überschaubar die Umgebung für die edelfreien Herren von Langenburg, was die Angriffsmöglichkeiten von Feinden betrifft. In den Bukkelquaderfundamenten der westlichen Außenbastionen vermutet man die Reste der ersten Burg aus dem frühen 12. Jahrhundert. Nach einer Zerstörung im 13. Jahrhundert, da schon im Besitz der Grafen von Hohenlohe, wurde sie wieder aufgebaut, und noch Ende des 15. Jahrhunderts errichtete man zwei mächtige Geschütztürme im Osten. Und dann, im allgemeinen politischen und geistigen Umbruch des 16. Jahrhunderts, hielt auch hier die Renaissance Einzug. Nach der Landesteilung von 1551 macht die neuentstandene Linie des Hauses Hohenlohe-Langenburg die Burg zu ihrer Residenz: Aus der Burg wird ein Schloß. Graf Wolfgang von Hohenlohe, der später auch Schloß Weikersheim erbauen ließ, holte sich dazu den Baumeister Georg Robin, und unter seinem Sohn, mit Hilfe des Baumeisters Georg Kern aus Forchtenberg, war dieser Wandel dann vollzogen (1616).

Am deutlichsten und geschlossensten zeigt das Bauwerk sein Renaissancegesicht im Binnenhof: die Ziergiebel und Laubengänge, die Galerien auf kräftigen Konsolen und teilweise in mehreren Stockwerken übereinander. Um diesen Binnenhof liegen – und das ist von außen ganz gut sichtbar – Arbeit und Veränderungen früherer und späterer Jahrhunderte wie Jahresringe.

Der letzte umfassende Umbau – wegen Baufälligkeit – fand in den Jahren 1755 bis 1762 statt. Die Bauprotokolle von Schloß Langenburg vermerken, wie der Schieferdecker Wanner aus Neuenstein auf seine Art den Abschluß des Rohbaues feierte. Er hatte den höchsten Turm des Innenhofes neu gedeckt. »Auf dem Turmknopf stehend trank er auf den Grafen, die Gräfin, die Kinder, die Beamten, die Bauleute und warf nach jedem Spruch die Malvasiergläser in den Hof, 4 Kreuzer das Stück. Der angetrunkene Mut erlaubte ihm ein akrobatisches Meisterstück. Der Graf hatte ihm als Geschenk ein paar neue Strümpfe zum Abschluß der Arbeit verehrt. Hoch oben auf dem Knopf in schwindelnder Höhe entledigte sich Wanner seiner Schuhe und seiner alten abgetragenen Strümpfe, warf sie ebenfalls herab und zog die neuen an.«

◀ **Le château et la ville de Langenburg,** Hohenlohe, Nord-Wurtemberg. Le château perché sur l'étroite croupe de la montagne au-dessus de la vallée de la Jagst date du début du 12e siècle. A l'époque de la Renaissance et du baroque, il a fait l'objet de rénovations encore visibles aujourd'hui.

◀ **The Palace and town of Langenburg,** Hohenlohe, North Württemberg. The castle, perched on top of a narrow spur above the Jagst Valley, dates back to the early 12th century. It was rebuilt in the Renaissance and Baroque eras.

◀ Schloß Weikersheim, Hohenlohe, Nordwürttemberg. Ungewohnt der Blick aufs Schloß nicht vom Marktplatz mit den niedrigen Zirkelbauten zur Brücke und dem mächtigen Torbau, sondern über die löwenzahngefleckte Wiese auf den Renaissancebau. Bäume verdecken den Blick auf den Schloßpark, einen der schönsten Barockgärten in Deutschland. Zwerge, Putten, Götter des Olymp sind hier versammelt, und eine Orangerie schließt den Park zum Taubergrund hin ab.

In Weikersheim steht die Wiege des Hauses Hohenlohe. Eine Wasserburg aus dem Anfang des 12. Jahrhunderts war Stammsitz der Edelherren von Wikartesheim, die später ihren Hauptsitz auf die Burg Hohenloch verlegten. Diese gab dem Geschlecht dann den Namen. Bei dem umfassenden Umbau seit 1586 unter dem Grafen Wolfgang wurde der Bergfried der mittelalterlichen Wasserburg als Zeichen für den Fortbestand der Traditionen übernommen. Neu entstand in dieser Bauperiode der dem Betrachter zugewandte Flügel im Stil der Renaissance mit den fünf Zwerchgiebeln. In ihm befindet sich der berühmte Rittersaal, in Größe und Pracht zur Zeit seiner Entstehung nur noch vom Goldenen Saal des Augsburger Rathauses übertroffen. Hier hat sich der Bauherr nicht nur Platz für Repräsentation und Feste geschaffen, sondern auch seiner Jagdleidenschaft Ausdruck verliehen: Die Felder der am Dachstuhl aufgehängten Kassettendecke sind ausgefüllt mit Jagdszenen, und an den Wänden treten Jagdtiere – Hirsche, Elche, ein Bär und ein lebensgroßer Elefant – plastisch hervor. Kalkschneider haben sie gemacht aus einem Gemisch aus Gips, Kalk und hanfartigen Fasern, zum Schluß bemalt und mit echten Hörnern und Geweihen versehen. Bei den Festen konnten die Gäste über verdeckte Anrichten bedient und auch beobachtet werden, ohne daß sie es merkten. Durch Auslugöffnungen nämlich, die hinter der Wanddekoration angebracht waren.

In der ersten Hälfte des 18. Jahrhunderts unter dem Grafen Carl Ludwig gab es zum letzten Mal größere Veränderungen im Schloß und seiner näheren Umgebung: Im Schloßpark schuf sich der Graf ein Erinnerungsstück an seine Besuche in Versailles; Orangerie, Marktplatz und Zirkelbauten entstanden. Die Veränderungen im Schloß selber betrafen vor allem die Ausstattung, das Mobiliar. Da nach dem Tod des Grafen Carl Ludwig im Jahre 1756 das Schloß nur noch wenig bewohnt war, blieb die Einrichtung fast unverändert in diesem Zustand erhalten.

◀ Château de Weikersheim, Hohenlohe, Nord-Wurtemberg. Outre un des plus beaux jardins de style baroque d'Allemagne, Weikersheim possède une des plus grandes et des plus somptueuses salles de l'époque de la Renaissance. Celle-ci se trouve dans l'aile avec les pignons à lucarne construite vers 1600. Weikersheim, le siège des comtes de Hohenlohe était, au moyen âge, un castel d'eau.

◀ Weikersheim Palace, Hohenlohe, North Württemberg. Weikersheim is distinguished by having one of Germany's finest Baroque gardens and also by one of the largest and most magnificent Renaissance halls. The hall is in the wing with the five dormer windows, built in about 1600. Weikersheim, the seat of the Hohenlohe Counts, was a moated castle in the Middle Ages.

◀ **Topplerschlößchen in Rothenburg ob der Tauber,** Mittelfranken. Eigentlich gibt es im 14. Jahrhundert noch gar keine Schlösser: Schießscharten im massiven Untergeschoß, Zugbrücke und Wassergraben, die ursprünglich vorhanden waren, sowie der Zweck des Bauwerkes – die bessere Überwachung der Taubermühlen – sind eher Kennzeichen einer Burg. Es waren wohl spätere Nachfahren, die den Wohnturm des »Königs von Rothenburg«, Heinrich Toppler, als Schlößchen bezeichneten. Dieser Mann machte als Bürgermeister die freie Reichsstadt Rothenburg zur größten der fränkischen Reichsstädte, führte sie als Feldhauptmann im Schwäbischen Städtebund erfolgreich bei Reutlingen gegen die Grafen von Württemberg und ihre Verbündeten. Der Rat der Stadt verfügte, er solle sich »einen steinernen Sitz zwei Gaden hoch und ein Haus darauf bauen« (1386–1388). Die Zeiten änderten sich. Nach der Absetzung König Wenzels verhängte König Sigismund die Reichsacht gegen Rothenburg, da Toppler zu dem abgesetzten König hielt. Er starb 1408 im Verlies des Rathauses.

◀ **La tour Toppler à Rothenburg ob der Tauber,** Moyenne-Franconie. Les créneaux dans le soubassement massif et le fait que l'édifice était doté autrefois d'un pont-levis attestent son but défensif: surveiller les moulins de la Tauber. Elevée de 1386 à 1388, la tour a servi en même temps de demeure au bourgmestre Toppler qui a eu le mérite de faire de Rothenburg la plus imposante des villes impériales franconiennes.

◀ **The Toppler Tower in Rothenburg ob der Tauber,** Central Franconia. The loopholes in the massive lower part, and the fact that it once had a drawbridge, are a reminder of the defensive function of this tower, which was to guard the mills on the Tauber. It was simultaneously the residence of Mayor Toppler, and was built in 1386 to 1388. It was Toppler who made Rothenburg the most important of the Franconian imperial cities.

▶ **Schloß Erlangen,** Mittelfranken. 1685 ließ Markgraf Christian Ernst von Bayreuth bei Alt-Erlangen eine neue Stadt anlegen, weil er Hugenottenflüchtlinge aus Frankreich ansiedeln wollte. Das taten er und andere Landesherren in Deutschland nicht nur aus reiner Menschenfreundlichkeit. Nach den Verwüstungen des Dreißigjährigen Krieges brauchte man Kräfte für den Wiederaufbau. Die Hugenotten waren dafür sehr geeignet, denn sie brachten wirtschaftliche Initiative und neue Herstellungsverfahren mit und waren in der Regel gut qualifizierte Arbeitskräfte. Überall brachten sie den Ländern wirtschaftlichen Aufschwung, wenn es auch zuweilen wegen der nationalen und religiösen Unterschiede zu Spannungen mit der einheimischen Bevölkerung kam.
Die rechtwinklig-symmetrisch angelegte neue Stadt, »Christian-Erlang«, war in wenigen Jahren fertig. Die Straßen säumten einfache zweigeschossige Häuser, nur die sogenannten »Richthäuser« an den Ecken waren dreigeschossig. Dazu paßt das 1700 bis 1704 erbaute Schloß. Als Repräsentationsbau hebt es sich heraus durch seine Größe, durch den Schloßgarten mit Orangerie und Markgrafentheater, aber es ist ziemlich schmucklos. Diese sechste Residenz der Bayreuther Markgrafen war seit 1763 dann Witwensitz der Markgräfin Sophie Karoline und kam, nachdem ein Brand die ganze Inneneinrichtung zerstört hatte, 1817 zur Universität.

▶ **Château d'Erlangen,** Moyenne-Franconie. Pour les réfugiés huguenots qui devaient donner un nouvel essor à l'économie du pays, le margrave Christian Ernst von Bayreuth fit construire en 1685 une nouvelle ville près d'Alt-Erlangen: à angles droits, symétrique. Le palais très sobre – la sixième résidence de la famille – fut construit de 1700 à 1704. En 1817, il devint la propriété de l'université.

▶ **Erlangen Palace,** Central Franconia. In 1685, Margrave Christian Ernst von Bayreuth had a new town built near Alt-Erlangen to accomodate Huguenot refugees, with the aim of revitalizing the region's economy. The town was built symmetrically with a grid-like pattern. The austere palace – the family's sixth – was built between 1700 and 1704. In 1817 it became part of the university.

▶ **Neues Schloß in Bayreuth,** Oberfranken. Wilhelmine von Bayreuth, Lieblingsschwester Friedrichs des Großen, Gemahlin von Markgraf Friedrich, schreibt über das Ende des Alten Schlosses am 17. Januar 1753 an ihren Bruder: »… Gestern um 8 Uhr abends brach im Schloß Feuer aus, fast zugleich an drei verschiedenen Stellen. Allem Anschein nach liegt Brandstiftung vor. Ich lag schwerkrank zu Bett; man hat mich mitten aus den brennenden Balken gerettet. Ich habe meinen Hund, meine Juwelen und einige Briefe behalten. Ich weiß noch nicht, was ich besitze und was ich verloren habe … Das ganze Schloß liegt in Asche; nur ein Flügel ist gerettet worden …« Drei Wochen später schreibt sie: »… Ich habe mir das Vergnügen gemacht, den Plan meines Palastes selbst zu entwerfen; er ist zwar puppenhaft, wird aber ganz bequem werden …« Man hatte nämlich, statt das alte Schloß wiederaufzubauen, verschiedene Bürgerhäuser aufgekauft, dazwischen eine reformierte Kirche, und daraus machte Baumeister Pierre eines. Die kleinen Zimmer der bürgerlichen Häuser waren Wilhelmine gerade recht, sie entwarf die Innendekorationen, die so eigenwillig sind, daß sie als eigene Ausprägung des Rokoko angesehen werden, eben das »Bayreuther Rokoko«. Weniger schmeichelhaft klingt dagegen der Kommentar des großen Bruders aus Berlin: Das neue Schloß gleiche einem Schafstall.

Noch ein Wort zum Schloßgespenst der Hohenzollern, ein hauseigenes sozusagen, die weiße Frau, die vor dem Tode von Familienangehörigen oder bei Anwesenheit unerwünschter Personen in Berlin, Kulmbach und Bayreuth in Erscheinung trat. Auf diese Weise gelang es in Bayreuth Anfang des 19. Jahrhunderts, mehrere französische Generäle aus dem Neuen Schloß wieder auszuquartieren. Napoleon verbrachte hier eine unruhige Nacht und soll geschimpft haben: «ce maudit château» (dieses verwünschte Schloß). 1822 hörte der Spuk auf. Es ist das Todesjahr des Schloßkastellans Schuter. In seinem Nachlaß sollen mehrere Garderobestücke der weißen Frau gefunden worden sein.

▶ **Le Nouveau Château à Bayreuth,** Haute-Franconie. Après un incendie qui détruisit presque entièrement le Vieux Château en 1753, la margravine Wilhelmine, la sœur préférée du roi de Prusse Frédéric II, transforma plusieurs maisons bourgeoises et une église en ce qui est maintenant le Nouveau Château créant ainsi ce que l'on a appelé le «rococo de Bayreuth».

▶ **The New Palace in Bayreuth,** Upper Franconia. After a fire almost completely destroyed the Old Palace in 1753, the Margravine Wilhelmine, Frederick the Great's favourite sister, converted a number of burghers' houses and a church into what is now the New Palace, creating at the same time a style that has come to be known as "Bayreuth Rococo".

▶▶ **Schloß Weißenstein, Pommersfelden,** Oberfranken. Im 17. und 18. Jahrhundert hatten Mitglieder des Hauses Schönborn höchste geistliche Funktionen inne, am Main und am Rhein. Sie alle waren mehr oder weniger von einer Krankheit befallen, dem »Bauwurmb«. Nachts noch brütete Lothar Franz von Schönborn, Fürstbischof von Bamberg, Kurfürst und Erzbischof von Mainz und Erzkanzler des Heiligen Römischen Reiches, »mit dem Zirkul über den Plänen« seines neuen Landsitzes in Pommersfelden südlich von Bamberg. So ist denn Weißenstein nicht nur Ausdruck ungeheuren Reichtums und der Macht, sondern auch der schöpferischen Fähigkeiten und der Sachkenntnis des Schönborner Fürstbischofs. Das Treppenhaus, für das Weißenstein so gelobt wird, war seine Idee, und er konnte sich natürlich die Baumeister heranziehen, die in der Lage waren, seine Vorstellungen zu verwirklichen: Johann Dientzenhofer, Lukas von Hildebrandt, Maximilian von Welsch. Auch für die Ausstattung von Treppenhaus, Spiegelkabinett, Marmor- und Gartensaal wurde kein Aufwand gescheut. Das Ganze war in wenigen Jahren, 1711 bis 1718, fertig, zu seiner Zeit ohne Beispiel, und es erregte schon bei den Zeitgenossen Aufsehen und Bewunderung. Schloß Weißenstein befindet sich noch heute im Privatbesitz der Familie von Schönborn.

▶▶ **Château de Weissenstein, Pommersfelden,** Haute-Franconie. Les princes évêques de la famille Schönborn ont été, aux 17ᵉ et 18ᵉ siècles, des constructeurs dynamiques et il reste de nombreux témoignages de leur activité. Dont le château de Weissenstein célèbre par son somptueux escalier et sa précieuse décoration intérieure. Il a été construit de 1711 à 1718.

▶▶ **Weissenstein Palace, Pommersfelden,** Upper Franconia. The prince bishops of the Schönborn family were great builders in the 17th and 18th centuries, and much evidence of their passion still survives. One example is Weissenstein Palace, famous for its extravagant staircase and its generally magnificent interior. It was built in 1711–1718.

▶ **Schloß Burgwindheim,** Steigerwald, Oberfranken. An der alten Poststraße von Bamberg nach Würzburg steht in sumpfigem Gelände auf einer Terrasse das ehemalige Amtsschloß der Zisterzienser von Ebrach. Ihnen gehört das Gebiet von Burgwindheim schon seit dem Mittelalter. 1720 bis 1725 läßt sich das Kloster, vermutlich von Balthasar Neumann entworfen, eine neue Kurie errichten. Die vierflügelige Anlage mit den verbreiterten Eckpavillons und den doppelten Walmdächern wirkt sehr geschlossen und hebt sich hinter der Balustrade vornehm von der ländlichen Umgebung ab.

▶ **Château de Burgwindheim,** Steigerwald, Haute-Franconie. De 1720 à 1725, les Cisterciens de l'abbaye d'Ebrach firent construire, sans doute d'après les plans de Balthasar Neumann, une nouvelle curie.

▶ **Burgwindheim Palace,** Steigerwald, Upper Franconia. In 1720 to 1725, the Cistercian monks from the nearby monastery of Ebrach had Burgwindheim built for administration purposes – presumably to plans by Balthasar Neumann.

▶▶ **Residenz Würzburg,** Unterfranken. Treppenhaus. Die Würzburger Residenz, ein Dreiflügelbau mit großer Prunkfassade, zwischen 1719 und 1744 erbaut, gehört zu den berühmten barocken Residenzschlössern geistlicher Fürsten. Das Schloß wurde im Auftrag der Schönborn errichtet, einer mächtigen Adelsfamilie, die im 17. und 18. Jahrhundert eine Reihe von geradezu bauwütigen Fürsten hervorgebracht hat. Höhepunkt dieser in jeder Hinsicht sprichwörtlichen barocken Baulust ist der Würzburger Prachtbau. Angesichts immenser Kosten mußten alle möglichen Geldquellen herhalten, und so war es wohl ein glücklicher Zufall, daß Fürstbischof Johann Philipp Franz von Schönborn mit einer halben Million Gulden aus einem gewonnenen Schadenersatzprozeß sein Startkapital für den Bau in Würzburg bekam. Balthasar Neumann, gelernter Geschützegießer, Artillerist und Festungsarchitekt, schuf die Pläne für den grandiosen Bau unter Mitarbeit vieler berühmter Zeitgenossen, so z. B. des Malers Tiepolo aus Venedig, der 1753, im Todesjahr Neumanns, nach langer Arbeit die Deckenfresken im Treppenhaus und im Kaisersaal vollendete.
Wie kühn der Bauplan von Neumann war, zeigen unverständliche Reaktionen zeitgenössischer Fachkollegen, die bezweifelten, daß Neumanns gewaltige Gewölbe überhaupt von den Mauern getragen werden könnten. Des Baumeisters Antwort, selbst der mit einem ungeheuren Luftdruck verbundene Abschuß eines Geschützes würde dem Bau nicht schaden, wurde im Zweiten Weltkrieg bewiesen, als Bomben die Residenz zerstörten, doch Balthasar Neumanns Gewölbe standhielten, so z. B. sein Spiegelgewölbe über dem größten Treppenhaus in einem deutschen Schloß, mit 30 zu 18 Metern eine technische Pionierleistung für die damalige Zeit.
Berühmt für ihre kostbare Innenausstattung sind Kaiser- und Gartensaal der Residenz, deren Hofgarten zu den Kostbarkeiten barocker Gartenbaugestaltung gehört, ein würdiger Rahmen für die jährlich im Sommer stattfindenden Mozartfestspiele.

▶▶ **La Résidence de Wurtzbourg,** Basse-Franconie. La cage de l'escalier. La Résidence fait partie des somptueuses constructions édifiées par les princes évêques au XVIIIe siècle. Le capital initial nécessaire à la construction provenait d'un procès en dommages-intérêts gagné par le comte von Schönborn, le constructeur de cet édifice qui, commencé en 1719, nécessita presque 25 années de travaux.
Balthasar Neumann, un des plus grands architectes de son temps, a conçu ici un monument grandiose qui comportait de nombreuses innovations pour l'époque, ainsi par exemple la voûte à pan sur plan carré de l'escalier monumental, le plus grand qui existe dans un château en Allemagne.
Les fresques du plafond, œuvre du peintre vénitien, J. B. Tiepolo, sont célèbres.

▶▶ **Würzburg Palace,** Lower Franconia. The staircase. The "Residenz" is one of the most famous of the great palaces built by prince-bishops in the 18th century. The early stages of the building were paid for by Graf von Schönborn out of damages awarded to him in a court case. Begun in 1719, the building took almost 25 years to complete.
The architect of this magnificent building was Balthasar Neumann, one of the greatest of his age. It incorporates a number of innovations, such as the flat-topped dominical vault which crowns the monumental staircase, the largest in any German palace. The ceiling paintings by Tiepolo are famous.

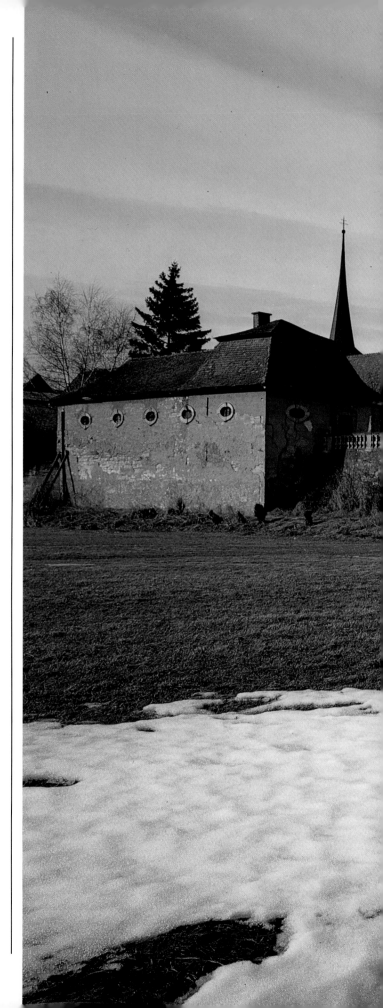

▶ **Schloß Werneck,** Unterfranken. Es ist gut, auf halbem Wege noch einmal in einem Schloß absteigen zu können, wenn man so gerne von Würzburg nach Bad Kissingen fährt wie der Fürstbischof Friedrich Carl von Schönborn. Oder auch um den Sommer auf dem Land mit Fasanenjagden und ähnlichen Vergnügungen zu verbringen. Zu diesem Zwecke ließ sich der Schönborner 1734 bis 1744 vom fürstbischöflichen Baudirektor Balthasar Neumann anstelle des alten Schlosses einen Neubau hinstellen, mit allem Drum und Dran. Neumann, der zur selben Zeit auch mit der Planung der Würzburger Residenz beauftragt war, hatte bereits als Baumeister einen Namen, und auch Werneck ist gekonnt in seiner Ausgewogenheit und dem schön gegliederten und geschwungenen Dach. Besonders reich ist der Mittelpavillon gestaltet, im Schaugiebel das Schönbornsche Wappen.

▶ **Château de Werneck,** Basse-Franconie. Balthasar Neumann, un des architectes les plus importants de la fin du baroque allemand, a également conçu ce château à Werneck à la demande du prince évêque Friedrich Carl von Schönborn. Construit de 1734 à 1744, il frappe par sa gravité et son équilibre ainsi que par l'originalité de son toit.

▶ **Werneck Palace,** Lower Franconia. Werneck was designed by Balthasar Neumann, one of the most outstanding architects of the late Baroque period in Germany, for Prince Bishop Friedrich Carl von Schönborn. Built in 1734–1744, it impresses by its dignified proportions and the striking roof construction.

▶ **Schloß Veitshöchheim,** Unterfranken. Franken wurde schwer heimgesucht von den Verwüstungen und Plünderungen des Dreißigjährigen Krieges. Jegliche Bautätigkeit geistlicher oder weltlicher Herren war zum Erliegen gekommen. Und nach Ende des Krieges dauerte es noch einmal an die dreißig Jahre, bis sich die Würzburger Fürstbischöfe von dem Schock erholt hatten und in altgewohnter Weise sich für den Sommer, für diesen oder jenen Zweck ein Schloß bauen ließen. In Franken begann es mit dem Sommerschlößchen zu Veitshöchheim (1680). Ursprünglich nur aus dem viereckigen Kernbau und vier Ecktürmen bestehend, war es noch ganz dem Stil der Spätrenaissance verhaftet; die Arkaden waren noch offen, und die mächtig geschwungenen welschen Hauben rundeten das Bauwerk ab. Erst 1753 kamen nach Plänen von Balthasar Neumann die Seitenflügel dazu.
Bei dem Schloß ist der nach französischem Vorbild – also geometrisch – angelegte Garten erhalten. Gärten dieser Art gibt es nur noch sehr wenige. Da ist der Boskettgarten, der See; da sind die chinesischen Pavillons als »phantastische Rastplätze zur Einnahme ländlicher Mahle«, die Grotten, Fontänen, Kaskaden, ein Tummelplatz für große und kleine Götter aus Stein, für Tänzer, für Schäferpaare.

▶ **Château de Veitshöchheim,** Basse-Franconie. Ce petit château d'été marqua la reprise des travaux de construction en Franconie des princes évêques de Wurtzbourg après la guerre de trente ans. La construction originale du toit en est la principale caractéristique. Les pavillons latéraux ont été ajoutés par la suite. Le jardin du château est un des rares jardins aménagés de façon géométrique qui aient été conservés en Allemagne.

▶ **Veitshöchheim Palace,** Lower Franconia. This summer palace marked the resumption of building activity in Franconia by the Würzburg prince bishops after the end of the Thirty Years' War. The most prominent feature of Veitshöchheim is the striking roof construction. The side pavilions are a later addition. The palace lies in a park which is one of the few examples of geometrically laid out gardens surviving in Germany.

◀ **Schloß Kleinheubach,** Unterfranken. 1718 werden die Grafen von Löwenstein-Wertheim Fürsten und 1721 Besitzer der Herrschaft Kleinheubach. Die alte Georgenburg der vorigen Herren ist jetzt zu klein, zu altmodisch, weshalb der Darmstädter Baumeister Louis Remy de la Fosse den Auftrag für einen Neubau erhält. Das Ergebnis fast zehnjähriger Bauarbeiten ist eine einfache, hufeisenförmige Anlage um einen Ehrenhof, bei der sich nur der Mittelteil heraushebt: Die Fenster im Mittelgeschoß sind größer, im Obergeschoß nicht rund, sondern oval, die Fensterverdachungen plastisch betont. Ein großer Schloßgarten im englischen Stil erstreckt sich bis an den Main.

◀ **Château de Kleinheubach,** Basse-Franconie. L'architecte de Darmstadt, Louis Remy de la Fosse, conçut au début du 18ᵉ siècle ce château dont la partie centrale ressort par son ornementation plus riche. Un jardin de style anglais s'étend jusqu'au Main.

◀ **Kleinheubach Palace,** Lower Franconia. Designed by the Darmstadt architect Louis Remy de la Fosse at the beginning of the 18th century, it is generally modest in style with a grander middle section. The park, laid out in the English style, stretches to the banks of the Main.

◀ **Park und Schlößchen Schönbusch** bei Aschaffenburg, Unterfranken. »Zurück zur Natur« – weg von den zu Pyramiden, Quadern, Kegeln gestutzten Hecken und Bäumen, weg von künstlich angelegten Springbrunnen, ovalen oder kreisrunden Teichen à la Versailles. Englischer Stil ist jetzt Mode. Dem entspricht die verhaltene Eleganz dieses Pavillons, die künstlich angelegte Natürlichkeit gewundener Wege, scheinbar wahllos wachsender Baumgruppen, Wiesen und Lichtungen. Dazwischen versteckter Tanzsaal, versteckter Freundschaftstempel, Pavillons, Irrgarten und Dörfchen. Der Park von Schönbusch ist einer der frühesten Gärten dieser Art in Deutschland. Friedrich Carl von Erthal, Erzbischof und Kurfürst von Mainz, ließ ihn Ende des 18. Jahrhunderts anlegen, wo bis dahin ein Hirschgehege war. Die Zeiten des prunkvollen Repräsentierens waren vorbei. Man suchte die Intimität. Auf die Annehmlichkeiten und Genüsse des Lebens verzichtete man dabei aber keineswegs. Von dem Bauherrn, in Mainz auch das »fromme Herrchen« genannt, heißt es, er sei »in seiner Loge im Theater von geputzten Damen umringt« und: »Nichts übertraf an Geschmack und verfeinertem Luxus die täglichen Soupers, wobei, außer den fürstlichen Anverwandten, den Favoritinnen und Günstlingen, auch Dichter, berühmte Maler, Tonkünstler und witzige Köpfe Zutritt hatten. Solche Abendessen dauerten gewöhnlich bis spät in die Nacht.«

◀ **Parc et pavillon de Schönbusch** près d'Aschaffenburg, Basse-Franconie. Des sentiers sinueux, des groupes d'arbres qui semblent pousser au hasard, des prés et des clairières avec des pavillons çà et là cachés, c'est un des premiers jardins de style anglais en Allemagne. L'archevêque et prince électeur de Mayence l'a fait aménager à la fin du 18e siècle.

◀ **Schönbusch Park and Pavilion** near Aschaffenburg, Lower Franconia. Meandering paths, seemingly arbitrary groups of trees, meadows, and glades, with little pavilions in between: this was the first park in the English style in Germany. It was laid out at the end of the 18th century by the Archbishop and Elector of Mainz.

▶ **Schloß Kranichstein** bei Darmstadt, Hessen. Die Jagd ist das beherrschende Thema in der Geschichte dieses Renaissanceschlosses. Der erste Landgraf von Hessen-Darmstadt, Georg, erwarb den Besitz 1571 und ließ ein dreiflügeliges Schloß erbauen, das, nur wenige Kilometer von Darmstadt inmitten ausgedehnter Wälder gelegen, unzählige Hetzjagden und lärmende Jagdgesellschaften gesehen hat. Von den Umbauten in späterer Zeit sei der im 18. Jahrhundert erwähnt. Landgraf Ludwig VIII., für seine zügellose Jagdleidenschaft bekannt und nicht zuletzt deswegen in beträchtlichen finanziellen Schwierigkeiten, ließ einen Eckrundturm zu einer Art Aussichtspavillon umgestalten: Von den acht großen Fenstern aus konnten die Schaulustigen – geladene Gäste – auf die acht Waldschneisen beim Schloß sehen und die wilde Treibjagd verfolgen.

▶ **Château de Kranichstein** près de Darmstadt, Hesse. Construit en 1572 dans le style de la Renaissance, le château servit de point de départ à d'innombrables chasses à courre et à de bruyantes parties de chasse organisées par les landgraves de Hesse-Darmstadt. Au tournant du siècle, le dernier d'entre eux aménagea dans le château un musée de la chasse qui existe encore aujourd'hui.

▶ **Kranichstein Palace** near Darmstadt, Hesse. Built in the Renaissance style in 1572, this palace and its surroundings have formed the setting for countless hunts and noisy hunt parties organized by the Landgraves of Hesse-Darmstadt. The palace houses a hunting museum, established at the turn of the century by the last Landgrave.

▶▶ **Fürstenlager** bei Bensheim-Auerbach, Bergstraße, Hessen. Zu einem Fürstenbad – und zu einem solchen ließ Landgraf Ludwig X. von Hessen-Darmstadt den Gesundbrunnen »in der Roßbach« ausbauen (1790–1795) – gehören nicht nur Herrenhaus und Kurgebäude, sondern auch verschiedene Nutz- und Wohnbauten, wo die Küche, Pferde und Kutschen und die zahlreichen Bediensteten untergebracht werden konnten. Im Sommer kamen sie dann, der ganze Hofstaat, und der Badaufenthalt diente da weniger Heilzwecken als vielmehr der Geselligkeit: Jagd, Bälle, Diners . . . Der Entwurf für ein richtiges Schloß lag bereits in der Schublade, kam dann aber doch nicht zur Ausführung, lediglich eine Parkanlage und die eingeschossigen Gebäude mit den reizvollen Mansarddächern.

▶▶ **Fürstenlager** près de Bensheim-Auerbach, Bergstraße, Hesse. De 1790 à 1795, le landgrave de Hesse-Darmstadt fit construire autour de la source thermale qui se trouve à cet endroit un ravissant ensemble d'édifices à un étage, aux toits mansardés. La construction d'un château était prévue mais ne fut pas réalisée.

▶▶ **Fürstenlager** near Bensheim-Auerbach, Bergstraße, Hesse. The Landgrave of Hesse-Darmstadt had the mineral spring that flows here enclosed in a grander building in 1790–1795. The result was a charming group of one-storey buildings with mansard roofs. A palace was planned, but never built.

Schloß Fürstenau, Odenwald, Hessen. In der Nähe des schon im 8. Jahrhundert genannten Ortes Michelstadt und der 815 gegründeten Einharts-Basilika bei Steinbach erbaut der Erzbischof von Mainz um 1300 die Wasserburg Fürstenau, die zusammen mit Starkenburg und Weinheim ein Befestigungsdreieck gegen den rheinischen Pfalzgrafen und die unruhigen Herren von Erbach bilden soll. Doch schon nach wenigen Jahrzehnten geht Fürstenau eben an die Erbacher verloren. Diese bauen vom 16. bis zum beginnenden 19. Jahrhundert um die noch erhaltenen Wehrbauten des 14. Jahrhunderts eine vielfach gegliederte, reizvolle Schloßanlage, seitdem Sitz der Grafen von Erbach-Fürstenau.

Château de Fürstenau, Odenwald, Hesse. Ce ravissant ensemble de constructions, résidence des comtes d'Erbach-Fürstenau a été édifié du 16e au 19e siècle. Il renferme encore des fortifications du castel d'eau que fit construire au 14e siècle l'archevêque de Mayence.

Fürstenau Palace, Odenwald, Hesse. This delightful complex of buildings, home of the Counts of Erbach-Fürstenau, seems to have grown almost organically from the 16th to the 19th centuries. It still retains some fortifications from the moated castle which the Archbishop of Mainz built in the 14th century.

Schloß Wiesbaden-Biebrich, Hessen. Alles fängt damit an, daß Fürst Georg August Samuel von Nassau-Idstein hier am Rhein »ein herrschaftlich neyes Lusthaus« errichten läßt, ein Gartenhaus. Die Lage ist ausgesprochen schön, wird auch in späterer Zeit immer wieder gepriesen, und nachdem der berühmte Architekt Maximilian von Welsch Pläne für ein richtiges Schloß entworfen hat, beginnen 1711 die Bauarbeiten. Beim Tod des Fürsten ist man noch nicht fertig. Es wird ja auch nur für gelegentliche Aufenthalte im Sommer gebraucht und ist nicht heizbar. Als Fürst Karl von Nassau-Usingen das Erbe antritt, ändert sich das. Er verlegt die Regierung nach Wiesbaden und macht das Biebricher Schloß zur ständigen Residenz. Es wird erweitert und fertiggestellt. Berühmt war der neue Fasanengarten mit über 600 Fasanen, der aber bald wegen Gestank, Ungeziefer und Lärm in den Klarenthaler Grund verlegt werden mußte.
Im Jahre 1814 – inzwischen ist Wiesbaden Hauptstadt des souveränen Herzogtums Nassau und Biebrich alleinige Residenz geworden – kommt Goethe zur Kur nach Wiesbaden. Sonntagmittags speist er bei Herzog Friedrich August. Über das Schloß schreibt er: »Nach so vielen Ruinen alter und neuer Zeit . . . ist es wieder die angenehmste Empfindung, ein wohlerhaltenes Lustschloß zu sehen, das unerachtet der gefährlichen Nachbarschaft, in völligem Stand, von seinen Fürsten bewohnt, durch einen Hof belebt wird, der den Fremden des liberalsten Empfangs genießen läßt . . . Der Gesellschaftssaal, eine Galerie, man sieht an einer Seite den Rhein, an der anderen den Lustgarten. Es ist völlig ein Märchen . . .«
Der nächste Regent, Herzog Wilhelm, holt den Gartenbauer Ludwig von Sckell, der schon in München und Schwetzingen Landschaftsgärten in englischem Stil gestaltete, nach Biebrich. Eine verfallene Burg auf dem zur Erweiterung bestimmten Gelände kommt dieser neuen Mode in geradezu idealer Weise entgegen: Sie wird zur künstlichen Ruine, aber bewohnbar, umgeformt und ragt in einen künstlich ausgehobenen See hinein, die »Moosburg«.
1866 aber erlischt der Glanz des Biebricher Schlosses. Herzog Adolf verliert sein Land an Preußen und wohnt nicht mehr im Schloß, obwohl es noch ihm gehört.

Château de Wiesbaden-Biebrich, Hesse. Au départ, le prince Georges Auguste Samuel de Nassau-Idstein ne voulait construire qu'une demeure pour des séjours d'été occasionnels. A sa mort, en 1721, les travaux ne sont pas terminés. Lorsque le prince Karl transfère le gouvernement à Wiesbaden, le château de Biebrich est transformé en résidence permanente et le reste jusqu'en 1866. Le concours hippique international de la Pentecôte se déroule chaque année dans le beau parc du château.

Wiesbaden-Biebrich Palace, Hesse. At first, Georg August Samuel, Prince of Nassau-Idstein intended only to build a house for occasional summer use; he died in 1721 with the work unfinished. When Prince Karl transferred the seat of government to Wiesbaden, the Biebrich Palace was completed on a grander scale as a permanent residence, which it remained until 1866. An international horse show takes place in the palace gardens every Whitsun.

Stockheimer Hof in Geisenheim, Rheingau, Hessen. Daß sich Rheingau auf Weinbau reimt, ist hier bestimmt kein Zufall. Schon seit dem 9. Jahrhundert wird er hier betrieben, und Geisenheim ist der älteste bezeugte Ort des Rheingaues. So nimmt es nicht wunder, daß auch die Menschen dadurch geprägt sind. Was ein Brenner ist, erklärt der gebürtige Rheingauer Wilhelm Heinrich Riehl so: »Ein ›tüchtiger Brenner‹, wie man am Rhein den vollendeten Zecher nennt, trinkt alltäglich seine sieben Flaschen, wird steinalt dabei, ist sehr selten betrunken und höchstens durch eine rote Nase ausgezeichnet. Die Charakterköpfe der gepichten Trinker, der haarspaltenden Weingelehrten und Weinkenner, die übrigens doch allesamt mit verbundenen Augen durch die bloße Zunge noch nicht roten Wein vom weißen unterscheiden können, der Weinpropheten, der Probenfahrer, die von einer Weinversteigerung zur anderen bummeln, um sich an den Proben gratis satt zu trinken, finden sich nirgends anders in so frischer Originalität wie im Rheingau.« (1853)
Um die großen Weingüter besser bewirtschaften zu können, hatten die reichen rheinischen Adelsgeschlechter auch in Geisenheim Landsitze. Ein schönes und typisches Beispiel dafür ist der Stockheimer Hof, ein Renaissancebau, der 1550 für Hermann von Stockheim erbaut wurde. Seit 1645 bis heute ist die Familie Schönborn in seinem Besitz. Hier soll der Mainzer Erzbischof Johann Philipp von Schönborn seine Vorschläge zum Westfälischen Friedensvertrag entworfen haben.

Manoir de Stockheim à Geisenheim, Rheingau, Hesse. Dans le Rheingau, on cultive la vigne depuis le 9e siècle et Geisenheim est la localité la plus ancienne de la région attestée par des documents. Le manoir de Stockheim, une belle demeure seigneuriale, a été construit en 1550 et est devenu propriété de la famille Schönborn en 1645. Les propositions pour la paix de Westphalie y auraient été élaborées.

Stockheim Manor in Geisenheim on the Rhine, Rheingau, Hesse. Wine has been grown here in the Rheingau since the 9th century, and Geisenheim is the oldest documented community in the Rheingau region. Stockheim Manor, a fine old house, was built in 1550, and passed to the Schönborn family in 1645. It is said that the proposals for the Peace of Westphalia were worked out here.

◄ **Schloß Fasanerie** bei Fulda, Hessen. Fürstabt Amand von Buseck (1737–1756, seit 1752 erster Fürstbischof von Fulda) hatte ein Steckenpferd: Lustschloßbauen. Und dem widmete er seine ganze Energie. Für einen Herrscher im Barockzeitalter nichts Ungewöhnliches; auch nicht, daß er sich selber aktiv an der Planung beteiligte, Reiseeindrücke aus Italien und andere Anregungen der zeitgenössischen Baukunst verwertend. Der Italiener Andreas Gallasini unterstützte ihn als Architekt dabei und führte aus, Hofmaler Emanuel Wohlhaupter malte. Sie waren sozusagen ein Team, das zusammen mit anderen Künstlern und Bauhandwerkern ein richtiges Barockschloß mit allem Drum und Dran erstellte: weitläufig, an- und abschwellende Höhenlinien der spiegelgleich angeordneten Gebäudeteile, reicher Stuck und reiche Ausstattung. Das kann man erleben, wenn man durch die Toreinfahrt an den Wachhäuschen vorbei durch den Vorhof, an den Kavaliershäuschen vorbei in den Ehrenhof, durch den Mittelpavillon in den Innenhof kommt. Das beabsichtigten die barocken Baumeister, daß man im Durchschreiten der »Räume« die sich steigernde Bewegung und Bedeutung der Anlage erlebt.
Dem Mittelpavillon gegenüber liegt das »Alte Schlößchen«, der Vorgänger, von dem das neue den Namen »Adolphshof« übernahm. (Erst seit 1950 heißt es offiziell »Fasanerie«, denn ursprünglich war hier eine »wilde Fasanerie mit Maierhof« gewesen.)
Baumeister, Architekt und Hofmaler starben alle drei im Jahre 1756. Sie waren aber noch fertiggeworden. Dem Nachfolger, Fürstbischof Heinrich von Bibra, blieb nur noch, die Allee zur Schloßeinfahrt anlegen zu lassen. Nach der Säkularisation kam das Schloß mit Fulda schließlich an Kurhessen. Kurfürst Wilhelm II. ließ unter Beibehaltung des barocken Äußeren einige der Repräsentation dienende Teile im Stil der Zeit umbauen. Heute dient das Schloß den Landgrafen von Hessen zur Aufbewahrung ihrer Kunstschätze und -sammlungen.

◄ **Château Fasanerie** près de Fulda, Hesse. Du portail jusqu'au château, le visiteur prend conscience de l'importance croissante des «espaces» – cours et bâtiments – et de leurs lignes ascendantes et descendantes, une impression voulue par le prince évêque Amand von Busek et son architecte qui réussirent à achever leur projet avant de mourir en 1756. Par la suite, le château devint la propriété du prince de Hesse qui fit transformer l'intérieur en style Empire, laissant l'extérieur intact. Il renferme aujourd'hui un musée avec de précieuses collections d'art des landgraves de Hesse.

◄ **Fasanerie Palace** near Fulda, Hesse. As he progresses from gatehouse to palace, the visitor gains the impression intended by Prince Bishop Amand von Buseck and his architect when they built Fasanerie Palace in the mid-18th century: the steadily increasing importance of the building and its constantly rising and falling lines. The palace later passed into the possession of the Elector of Hesse, who had the interior remodelled in the Empire style, leaving the exterior untouched. The palace now contains valuable collections of art assembled by the Landgraves of Hesse.

▶ **Schloß Wilhelmsthal** bei Kassel, Hessen. Seit 1643 befand sich das Hofgut am Nordhang des Habichtswaldes im Besitz der hessischen Landgrafen. Landgraf Wilhelm VIII. wählte sich dann Mitte des 18. Jahrhunderts diesen Platz für ein neues Schloß aus, das ein Pendant zu seinem Repräsentationsschloß »Wilhelmshöhe« bei Kassel sollte. Die »Rasenallee« stellte die Verbindung her. Entfernung: neun Kilometer. Das hielten alle geistlichen und weltlichen Herrscher in der damaligen Zeit so. Um sich von den anstrengenden Pflichten des Repräsentierens und Regierens zu erholen, zogen sie sich gerne in landschaftliche Abgeschiedenheit zurück, in Lustschlösser. Diese waren intim, behaglich. Eigenwillige Grundrisse, verspielte Formen – Zeit des Rokoko. Und Wilhelmsthal gilt als schönstes Rokokoschloß Hessens.
Landgraf Wilhelm konnte den berühmten Münchner Hofarchitekten François de Cuvilliés d. Ä. für die Gesamtplanung gewinnen, mit dem Bauen begann man 1747. Bildhauer Johann August Nahl, Ausstatter auch von Schloß Sanssouci, entwarf Stuck und Schnitzwerk. Der Speisesaal ist meergrün geworden mit Goldauflage, der Musensaal »pfirsichblüthfarbig« mit lichtblauen Nischen und Deckenkehlen, das Kabinett zartblau. Und der Kasseler Hofmaler Johann Heinrich Tischbein d. Ä. hat eine ganze Reihe Kasseler Hofdamen gemalt. Sie sind versammelt in der »Schönheitsgalerie«.
Besonders schön ist die Gartenfassade, ausgewogen und zurückhaltend. Die Treppen scheinen sich in den Garten zu ergießen, zum Teich, der als einziger von dem ursprünglichen, nicht vollendeten und später im englischen Stil umgewandelten Park übriggeblieben ist.

▶ **Château de Wilhelmsthal** près de Kassel, Hesse. L'escalier donne l'impression de se répandre dans le jardin vers l'étang à partir de la façade bien proportionnée mais discrète du côté jardin. L'étang est tout ce qui reste du parc par lequel avait commencé la construction de ce qui devait être le plus beau château rococo de Hesse. Au milieu du 18e siècle, le landgrave Georg VIII avait pu engager pour les plans le célèbre architecte de la cour de Munich, François de Cuvilliés. A la précieuse décoration intérieure, Jérôme, le frère de Napoléon, ajouta pendant l'occupation des tapisseries en soie et d'imposants lits Empire.

▶ **Wilhelmsthal Palace** near Kassel, Hesse. The staircase gives the impression of pouring down into the garden towards the lake from the well-proportioned but restrained garden facade of the palace. The lake is all that remains of the park with which the whole complex began and which resulted in the building of the loveliest Rococo palace in Hesse. It is the work of the famous Munich Court Architect François de Cuvilliés, who was engaged for the task by Landgrave Georg VIII in the middle of the 18th century. The splendid interior was further enhanced by Jérôme, Napoleon's brother, who, during the occupation period, added silk tapestries and heavy Empire beds.

▶▶ **Schloß Arolsen,** Hessen. Als »gefrorene Musik« haben Besucher die weitausladende, einen Ehrenhof umschließende Anlage, vor allem aber das überschwengliche, überaus reich ausgestattete Innere empfunden. Schloß Arolsen ist der verwirklichte Traum des Grafen Friedrich Anton Ulrich, der, bevor er 1711 zum Reichsfürsten erhoben wurde, Versailles gesehen hatte. Er fand für sein Vorhaben einen fähigen Baumeister, Johann Ludwig Rothweil, ließ das Renaissanceschloß seiner Vorgänger sowie Reste eines Klosters abreißen und in den Jahren 1713 bis 1728 den Neubau errichten. Die Anlage blieb – gemessen an den Plänen – unvollendet, und die Innenausstattung war erst 1811 fertig. Künstler gab es wohl, doch selbst eines Reichsfürsten Kassen sind nicht unerschöpflich.
Die Stadt Arolsen verdankt ihre Existenz demselben Traum und demselben Baumeister. In älteren Teilen hat sie ihren planmäßigen Charakter bis heute bewahrt.

▶▶ **Château d'Arolsen,** Hesse. Avant de devenir prince de l'Empire, en 1711, le comte Friedrich Anton Ulrich avait vu Versailles. Avec le concours de l'architecte J. L. Rothweil, il tenta de se créer son Versailles. Il n'y parvint pas tout à fait car les fonds lui manquaient mais ce qu'il construisit est d'un haut niveau artistique. La ville d'Arolsen fut également dessinée et construite par ce prince et son architecte.

▶▶ **Arolsen Palace,** Hesse. Count Friedrich Anton Ulrich had seen Versailles before he was made a Prince of the Holy Roman Empire in 1711. With the aid of the architect J. L. Rothweil, he did his best to create his own Versailles. He did not succeed entirely as his means were insufficient, but what he did build was of a high artistic standard. The town of Arolsen, too, was planned and built by the same prince and architect.

Flohstube und Bernsteinzimmer

Die Innenräume der Schlösser dienten laut Pinder »in Frankreich der Wohnlichkeit, in Italien der Repräsentation, in Deutschland der künstlerischen Sehnsucht nach Festlichkeit um ihrer selbst willen«. Solche Sehnsucht nahm natürlich im Corps de logis Quartier, im Zentralbau des Schlosses, der die Repräsentationsräume sowie die Wohnzimmer des Schloßherrn umfaßte. Die Beletage lag in der Renaissance im zweiten, seit dem Barock im ersten Obergeschoß. Vorzimmer, Audienzzimmer, Paradezimmer, Schlafzimmer, Kabinette, dazu Galerie, Festsaal und Spiegelsaal – diese Reihenfolge war festgelegt, doch gab es zahlreiche Varianten. Auch Treppenhaus und Vestibül hatten ihren angestammten Platz. Welches Gewicht man der räumlichen Aufteilung beimaß, zeigt die Tatsache, daß sogar die vierzig »Unsterblichen« der von Richelieu begründeten Académie française einen Kanon für die Folge der Gemächer ausgetüftelt haben. Danach sollten die Räume leicht zugänglich, sinnvoll miteinander verbunden, behaglich und gut heizbar sein. Eine wichtige Rolle spielte die Enfilade, eine Zimmerflucht, die bei geöffneten Türen einen möglichst weiten Durchblick gestattet. Großzügige Raumwirkungen ganz anderer Art erreichten die Architekten in den im Barock besonders beliebten Spiegelsälen, in denen von allen Wänden, durch reiche Kronleuchter und eine Fülle kleinerer Lüster unterstützt, kostbar gerahmte Spiegelgläser glitzerten. In den Spiegelkabinetten sieht der Betrachter sein Bild ins Unendliche vervielfacht. Ein winziges Ankleidezimmerchen in Herrenchiemsee er-

Le cabinet aux puces et la salle d'ambre

Selon Pinder, les intérieurs des châteaux servaient «en France au confort, en Italie à la représentation, en Allemagne au désir artistique de solennité en soi». Une telle aspiration s'installait naturellement dans le corps de logis, dans le bâtiment central du château qui englobait les salles de représentation ainsi que les appartements du châtelain. Pendant la Renaissance, l'étage noble était au deuxième, depuis l'époque du baroque au premier étage. Antichambre, salle d'audience, chambre de parade, chambre à coucher, cabinets, galeries, salle des fêtes et salle des glaces – cette succession de pièces était bien établie mais elle autorisait toutefois de nombreuses variantes. La cage d'escalier et le vestibule avaient également une place déterminée. L'importance accordée à la disposition des pièces dans le château est attestée par le fait que même les quarante «Immortels» de l'Académie française, fondée par Richelieu, dont la tâche était essentiellement d'observer et de surveiller la langue française, ont établi un canon pour la distribution des appartements. Selon cette règle, les pièces devaient être d'un accès facile, reliées entre elles de façon logique, confortables à chauffer. Un rôle important était dévolu à l'enfilade, qui permettait d'embrasser du regard le plus grand espace possible. Les architectes obtinrent de tout autres effets d'espace avec les salles des glaces, si en vogue à l'époque du baroque surtout, et dans lesquelles sur tous les murs des miroirs aux encadrements précieux scintillaient sous les lumières de lustres somptueux et d'une multitude de candélabres. Dans les cabinets des

Flea Cabinet and Amber Room

According to Pinder, the rooms of a palace served "comfort in France, prestige in Italy, and an artistic yearning for festivity for its own sake in Germany." Such yearnings were satisfied principally, of course, in the "corps de logis", the main building of the palace, which contained the state-rooms and the lord's living rooms. The bel étage, or piano nobile, was at second-storey level during the Renaissance period, and at first-storey level from the Baroque age onwards. The order of the rooms – antechamber, audience chamber, reception room, bedroom, cabinets, gallery, great hall, and hall of mirrors – was fixed, but there were nevertheless many variations on it. The staircase and the vestibule also had their accepted positions. The importance that was placed on the positioning of rooms in palaces is illustrated by the fact that the forty "immortals" of the Académie française (founded by Richelieu) who carried the responsibility for maintaining the purity of the French language, laid down a set of rules governing the order of arrangement of such rooms. It stipulated that they should be easily accessible, connected with one another in a sensible manner, comfortable and easily heatable. The enfilade – a flight of rooms which provided a long vista when the connecting doors were open – was an important feature. Baroque architects also achieved grandiose effects of quite a different kind in the halls of mirrors which were so popular during that period. The effect of the mirrored walls, emphasized by great chandeliers and numerous smaller sources of light, was quite brilliant. Mirrored cabinets had the

scheint durch die golden verzierten, raffiniert angeordneten Spiegel wie ein nicht enden wollender Märchenwald.

Vor allem im Barock sind die Gemächer der Beletage mit verschwenderischer Pracht ausgestattet. Besondere Kennzeichen der Dekoration: »La richesse, la mythologie et l'allégorie, l'exoticisme, le naturalisme, la grandeur« (Reichtum, Mythologie und Allegorie, Exotik, Naturverbundenheit, Größe). Da gibt es funkelnde Lüster, überschwengliche Draperien. Die Fußböden sind kunstvoll parkettiert, zeigen Intarsien, bisweilen auch Mosaiken. Die Plafonds, in der Renaissance noch mit schweren Kassettendecken verkleidet, sind nun ornamental stuckiert oder mit erlesenen Malereien bedeckt. Scheinperspektivische Illusionen verblüffen den Betrachter. Hohlkehlen prangen mit Blütenschnüren oder bieten Putten aus Stuck ein fröhliches Tummelfeld, sofern nicht die allerorts wohlgelittenen Allegorien der damals erst vier Erdteile Vorrang hatten. Von den Wänden strahlen kostbarer farbiger Marmor, Schnitzwerk, reichster Stuck, Samt, Brokat, Leder, Silber, Gold und nochmal Gold. Heerscharen hochqualifizierter Kunsthandwerker, unter ihnen zahllose Gastarbeiter vor allem aus Italien, haben sich um das Zustandekommen solcher Gesamtkunstwerke verdient gemacht.

Besondere Eleganz, bisweilen auch dekorative Ausgelassenheit entfaltet sich in den Kabinetten. Im Jagdschloß Grünau an der Donau gab es eine »Flohstube«, auf deren verblaßten Wandgemälden sittsam bekleidete Damen neben anderen im Evakostüm »auf mancherley art und an mancherley orten die flöhe fangen«. Preußens König Friedrich I. hat sich bald nach seiner im Jahre 1701 erfolgten Krönung ein ganzes Zimmer aus Bernstein schnitzen lassen, wohl eines der kostbarsten Interieurs aller Zeiten. In Maria Theresias »Millionenzimmer« in Schönbrunn hingen zweihundertsechzig goldgerahmte persischindische Miniaturen. Die Kaiserin hatte auch ein Faible für indische Lackarbeiten. Seit dem ausgehenden 17., vor allem aber seit dem 18. Jahrhundert entwickelte sich eine Vorliebe für alles Exotische östlicher Provenienz. Chinoiserien verfremdeten auf das anmutigste die Räume sogar im preußischen Potsdam. Man importierte vor allem Porzellan, aber auch Gemälde, Schnitzereien, Wandvertäfelungen, Seidentapeten. Und man kopierte sie.

glaces, le visiteur voit son image multipliée à l'infini. Grâce à une disposition raffinée de glaces ornées de sculptures dorées, un minuscule cabinet de toilette au château de Herrenchiemsee a un aspect féerique. A l'époque du baroque surtout, les appartements de l'étage noble sont somptueusement décorés. «La richesse, la mythologie et l'allégorie, l'exotisme, le naturalisme, la grandeur» caractérisent la décoration. Il y a des lustres scintillants, d'exubérantes draperies. Les parquets sont précieux, avec de la marqueterie et parfois même des mosaïques. Les plafonds, qui pendant la Renaissance étaient encore à caissons, sont désormais ornés de stucs ou de délicates peintures. Des effets de perspectives et de trompe-l'œil ont de quoi stupéfier. Des gorges sont agrémentées de guirlandes de fleurs, des amours en stuc s'y livrent à de joyeux ébats, à moins qu'elles ne soient réservées aux allégories en faveur à l'époque des parties du monde encore au nombre de quatre la fois-là. Les murs sont abondamment décorés de marbre de couleur, de sculptures, de somptueux stucs, de velours, de brocard, de cuir, d'argent et d'or à n'en plus finir.

Une élégance particulière et parfois même une décoration exubérante s'épanouit dans les cabinets. Dans le pavillon de chasse de Grünau, sur les bords du Danube, il y avait un «cabinet aux puces». Sur les peintures murales aux couleurs passées, on pouvait y voir des dames décemment vêtues à côté d'autres en costume d'Eve «qui attrapaient les puces d'une certaine manière et en certains endroits.» Peu après son couronnement en 1701, le roi de Prusse Frédéric Ier se fait tailler toute une pièce dans de l'ambre, un des intérieurs les plus précieux certainement de tous les temps. 260 miniatures indo-persane encadrées d'or étaient accrochées à Schönbrunn dans la «chambre à millions» de Marie-Thérèse. L'impératrice avait également un faible pour les laques d'Inde. Depuis la fin du XVIIe siècle mais surtout depuis le début du XVIIIe siècle, on assistait à une prédilection pour tous les objets de provenance orientale. Des chinoiseries donnaient aux pièces une note exotique des plus charmantes même à Potsdam la prussienne. On importait surtout de la porcelaine, mais aussi des peintures, des sculptures, des revêtements muraux, des tapisseries en soie. Et on les copiait.

effect of multiplying the user's image ad infinitum. A tiny dressing room in Herrenchiemsee, for example, gives the impression of an endless expanse of fairytale woodland simply by the cunning manner in which the mirrors – framed in carved golden woodwork – are placed.

The principal rooms in the piano nobile were furnished with the utmost lavishness, especially in the Baroque period. Special characteristics of the furnishings: "La richesse, la mythologie et l'allégorie, l'exoticisme, le naturalisme, la grandeur". Sparkling chandeliers, and extravagant hangings are two of the components. The parquet floors were artistically patterned, sometimes with additional inlay work, or mosaics. The ceilings, still heavily coffered in the Renaissance, were now covered with ornamental plaster or fine paintings. Illusions were created by the use of perspective and foreshortening to astonish the spectator. Concave mouldings were decorated with garlands, or provided plaster cherubs with a playground – if preference was not given to allegories of the – then only four – continents, one of the most popular themes of the time. The walls were resplendent with precious, coloured marbles, carvings, plasterwork, velvet, brocade, leather, silver, gold and yet more gold.

The small rooms called cabinets were fitted out with particular elegance, at times with decorative exuberance. In the hunting lodge at Grünau on the Danube, for example, there is a "Flea Cabinet", on whose faded murals a number of ladies, some modestly dressed, others quite naked, are portrayed busily "catching fleas in a number of ways and in various places". Soon after his coronation in 1701, King Friedrich I of Prussia had a whole room made of carved amber, which must surely be one of the most precious interiors of all time. One of Maria Theresia's rooms in Schönbrunn was hung with two hundred and sixty gold-framed Indo-Persian miniatures. The Empress also had a penchant for Indian lacquer work. From the end of the 17th, but especially in the 18th century, exotic objects of eastern provenance became increasingly popular. Chinoiserie, used even in such unlikely places as Prussian Potsdam, had a delightfully alienating effect. Porcelain in particular, but also paintings, carvings, pannelling, and silk wallpapers were imported – and copied.

Himmelwärts tänzelnde Treppen

Viele Schlösser verfügten über eine eigene Schloßkirche. Darin gab es eine Fürstenloge, die der Schloßherr mit den Seinen durch einen separaten Zugang erreichte, so daß auch beim Gebet die gebührende Distanz zu den Untertanen gewährleistet war. Im spanischen Escorial Philipps II. bildet die Kirche das Zentrum des Palastes. In Versailles dagegen hat das königliche Schlafgemach, Stätte des zeremoniellen Levers, des ersten Aktes des theatralischen Tageslaufs Seiner Majestät, diesen Ehrenplatz inne. Im Mittelpunkt der alten deutschen Schlösser befindet sich der oft zweigeschossige Festsaal oder die Treppe. Hatte man sich in der Renaissance noch mit Treppentürmen begnügt, so entdeckten die Baumeister des Barock das »Stiegenhaus« als idealen Schauplatz für die extravaganten Spiele ihrer Phantasie. Ihre Treppen vermeiden den kurzen Aufstieg. Himmelwärts tänzelnd, geben die gewinkelten Wege der meist gegenläufigen, zunächst auseinanderstrebenden, dann wieder zusammenfindenden Aufgänge mit ihren reich geschmückten Geländern, Säulen, Plattformen, Galerien und Balustraden wechselnde Durchblicke frei, führen zu Raumkompositionen von hinreißender Beschwingtheit. Musik in Stein. Welch eine Kulisse für das prunkvolle Zeremoniell der Empfänge, bei denen Lakaien die Stufen säumten und das flimmernde Licht der Kerzen den Raum durchflutete.
Schönste Treppenanlagen sind in Würzburg, in Brühl und vor allem im Schloß Bruchsal zu finden, wo Balthasar Neumann in den ovalen Mittelpavillon nach Dehio »die Krone aller

Un envol d'escaliers

Un grand nombre de châteaux avaient une chapelle où se trouvait une loge princière. Le châtelain y accédait avec les siens par une entrée séparée de sorte que, même pendant la prière, il gardait une distance convenable avec ses sujets. A l'Escurial, le palais espagnol qu'avait fait construire Philippe II, l'église constitue le centre de l'édifice. A Versailles par contre, cette place d'honneur est occupée par la chambre à coucher royale, lieu de la cérémonie du lever, le premier acte du déroulement théâtral de la journée de Sa Majesté. Au milieu des anciens châteaux allemands se trouve la salle des fêtes souvent à deux étages ou l'escalier. Alors qu'à l'époque de la Renaissance, on s'était contenté de tours d'escaliers, les architectes du baroque découvrent dans le grand escalier la scène idéale pour les jeux extravagants de leur imagination. Leurs escaliers ne prennent pas le plus court chemin. Dans une envolée de marches qui prennent généralement des directions opposées pour se retrouver ensuite aux paliers, avec leurs balustrades richement décorées, leurs colonnes, leurs galeries, leurs plates-formes, ils aboutissent à des compositions architecturales d'une grâce infinie. Ce sont de véritables symphonies transposées dans la pierre. Quel merveilleux décor pour le somptueux cérémonial des réceptions lorsque les laquais font la haie sur les marches et que les lumières des candélabres éclairent les salons! Les plus beaux escaliers monumentaux se trouvent à Wurtzbourg, à Brühl et surtout dans le château de Bruchsal où Balthasar Neuman a, selon Dehio, créé «l'apothéose de tous les escaliers du baro-

Staircases take flight

Many palaces had their own chapels. They were usually fitted with a box with a separate entrance for the prince and his family, so that a proper distance between the lord and his subjects could be maintained even during prayer. In Philip II's palace, the Escorial, near Madrid, the chapel forms the centre of the palace. In Versailles, however, this prime position is occupied by the royal bedroom, the site of the ceremonial levee, the first act of the theatrical performance that made up the monarch's day. The centre of the old German palaces is often taken up by the two-storeyed great hall, or by the staircase. While stair turrets were still considered adequate in the Renaissance period, the Baroque architects discovered that monumental staircases provided ideal subjects for their extravagant imaginations. Their staircases avoid going straight upwards by the shortest route. The angled double flights of stairs usually run in opposite directions, moving away from one another at first, then joining again higher up; with their richly adorned banisters, newels, landings, galleries, and balustrades, they take flight heavenwards, providing changing views, forming three-dimensional compositions of extraordinary charm and vitality: music in stone. What a background they made for ceremonial receptions, when lackeys lined the steps, and the shimmering light of candles flooded the room.
The finest staircases are in Würzburg, Brühl, and in particular, in Bruchsal, where Balthasar Neumann created what Dehio calls "the crowning glory of all Baroque staircases" in

Treppenhäuser des Barock« hineingezaubert hat. Das berühmte Stiegenhaus in Pommersfelden ist eine »Invention« Lothar Franz Schönborns, auf die der Kurfürst von Mainz, Erzkanzler des Reiches und Fürstbischof von Bamberg, wahrhaft stolz sein durfte. Zwar gehörten architektonische Kenntnisse zum Erziehungsprogramm adliger Söhne, und so war die aktive Teilnahme der durch Studien und Reisen hochgebildeten Bauherren an den Entwürfen gang und gäbe in jener Zeit. Selten aber sind solche Glanzstücke dabei herausgekommen.

In den nicht minder üppig mit allem erdenklichen Prunk und erlesensten Kunstwerken ausgestatteten Sälen – es sei nur an den von Tiepolo ausgemalten Würzburger Kaisersaal erinnert – fanden rauschende Feste statt. Man tanzte die Nächte hindurch, ergötzte sich an Konzerten, Opern, Theaterstücken, Balletten. Nur wenige Schlösser besaßen ein eigenes Theater. Das nach seinem berühmten wallonischen Erbauer, dem ehemaligen Hofzwerg des bayerischen Kurfürsten Max Emanuel, benannte Cuvilliés-Theater in der Münchner Residenz dient noch heute dem außerordentlichen Vergnügen der Besucher. Ebenso das von Bibiena entworfene, mit einem ungewöhnlich tiefen Bühnenraum versehene Rokokotheater des pfälzischen Kurfürsten Karl Theodor in Schwetzingen – ein architektonisches Juwel von duftiger Heiterkeit. Das »Glücksschwein«, wie Friedrich der Große diesen Rivalen nannte, der ohne einen Schwertstreich mehr Land einsackte als der preußische König mit all seinen Kriegen, besaß halt nicht nur die Gunst Fortunas, sondern auch eine umfassende Bildung, Kunstverstand und Geschmack. Festspiele in so kostbarem Rahmen, wie sie in Schwetzingen zur Spargelzeit, im Ludwigsburger Schloßtheater während der Sommermonate stattfinden, erfreuen sich heute internationalen Ansehens, sind dem Ansturm der von weither anreisenden Musik- und Theaterfreunde kaum gewachsen.

Vom Kunstsinn der Schloßherren zeugen nicht zuletzt die verschiedensten Sammlungen, die in den Antiquitäten- und Kuriositätenkabinetten sowie in Bildergalerien untergebracht sind. So hat der oben erwähnte Theaterliebhaber Karl Theodor nicht nur den Schwetzinger Park entscheidend verschönt und das Mannheimer Schloß zu Ende gebaut,

que». Le somptueux escalier du château de Pommersfelden est une «invention» de Lothar Franz Schönborn dont le prince électeur de Mayence, l'archichancelier de l'empire et prince évêque de Bamberg, pouvait vraiment être fier. Les connaissances en matière d'architecture entraient certes dans le programme de l'éducation des jeunes nobles, généralement dans le cadre de l'enseignement des mathématiques et la participation active des constructeurs – très cultivés du fait de leurs études et de leurs voyages – aux projets était d'usage à l'époque. Mais il est rare cependant qu'il en soit sorti de telles merveilles. Les salles non moins somptueuses, décorées de tout le faste convenable et des œuvres d'art les plus précieuses – que l'on songe seulement à la salle impériale de la Résidence à Wurtzbourg ornée de fresques de Tiepolo, servaient de cadres à des fêtes enivrantes. On y dansait toute la nuit, on s'y délectait de concerts, d'opéras, de pièces de théâtre et de spectacles de ballets. Seuls quelques châteaux avaient leur propre salle de théâtre. Le Théâtre de Cuvilliés, du nom de son célèbre architecte wallon, l'ancien nain de la cour du prince électeur de Bavière, Max Emmanuel, dans la Résidence à Munich, fait encore aujourd'hui les délices des habitants de la capitale bavaroise. De même le théâtre de style rococo doté d'une très belle scène en trompe-l'œil, œuvre de Bibiena, dans le château de l'électeur palatin Carl-Theodor à Schwetzingen – un joyau architectonique d'une grâce aérienne. Le «veinard», ainsi que Frédéric le Grand appelait son rival qui, sans donner un seul coup d'épée récoltait plus de terres que le roi prussien avec toutes ses guerres, ne jouissait pas seulement des faveurs de la fortune mais était aussi fort cultivé, avait le sens de l'esthétique et du goût. Dans un cadre précieux, les festivals, tels que les festivals de musique et de danse qui se déroulent à Schwetzingen à la saison des asperges, les festivals du théâtre du château de Ludwigsburg pendant l'été, jouissent aujourd'hui d'une réputation mondiale, et ne sont guère de taille à faire face à l'afflux des amateurs de musique et de théâtre venant de tous les coins du monde. Le sens artistique des châtelains est aussi attesté par les collections les plus diverses, collections d'antiquités, d'objets rares, galeries de tableaux qu'ils ont réunies.

C'est ainsi que l'électeur palatin Carl-Theo-

the oval central pavilion. The famous staircase in Pommersfelden was conceived by Lothar Franz Schönborn, Elector of Mainz, Arch-Chancellor of the Empire, and Prince Bishop of Bamberg – and was surely something to be proud of, even for a man of such importance. In those times, architecture was part of the education of aristocratic children, usually being included in mathematics, and active participation in the planning of their new buildings was quite common among the nobility, highly educated by studies and travel. Such brilliant results, however, were nevertheless rare.

The state rooms, furnished with the utmost magnificence and the choicest works of art – we only have to think of the Imperial Hall in Würzburg, with its Tiepolo paintings – were the settings for brilliant festivities. The nights were danced away, or filled with entertainments such as concerts, operas, plays, or ballets. Not many palaces had their own theatres. The Cuvilliés Theatre in the Munich palace – named after its famous architect, the one-time court dwarf of the Bavarian Elector Max Emanuel – is still a favourite place of entertainment. So is the Rococo theatre in Schwetzingen, designed by Bibiena for the Elector Palatine, Carl-Theodor, with its unusually deep stage – an architectural gem of delicate exuberance. Carl Theodor, much envied by his rival Frederick the Great because he succeeded in acquiring, without a shot fired in anger, more land than the Prussian king did with all his wars, was not only a child of fortune: he was also a man of universal education, with a great understanding of the arts and excellent taste. Festivals held in such a delightful setting as the one provided by Schwetzingen during the asparagus season, or in the Ludwigsburg palace theatre in the summer months, enjoy international status today, and can hardly cope with the requests for tickets from music and theatre lovers the world over.

Further evidence of the feeling for art displayed by the builders and owners of palaces is provided by the great variety of collections of antiques, curios, and paintings acquired and exhibited in palace cabinets and galleries. Thus the theatre enthusiast Carl Theodor, mentioned above, did not only make decisive improvements to the Schwetzingen palace gardens, and finish building Mannheim Palace, but also founded an Academy of

er hat auch eine Akademie der Wissenschaften gegründet sowie eine Antikensammlung und eine Bibliothek von über hunderttausend Bänden angelegt. Das mächtig gewölbte Antiquarium der Münchner Residenz, in dem heute der bayerische Ministerpräsident mit seinen Gästen zu tafeln beliebt, ist ein regelrechter Museumsbau, errichtet im Jahre 1569 für die Antikensammlung Herzog Albrechts V. Besonderes Gewicht legten viele der großen Herren auf eine gepflegte und umfangreiche Bibliothek. Zum Residenzschloß Wolfenbüttel gehörte ein separates Bibliotheksgebäude. Über ein Jahrzehnt wurde die schon im 18. Jahrhundert etwa 140 000 Bände umfassende Büchersammlung der Herzöge von Braunschweig-Wolfenbüttel von dem Dichter, Kritiker und Philosophen Gotthold Ephraim Lessing betreut. Was die künstlerische Ausstattung der Schloßbibliotheken anlangt, so halten sie einem Vergleich mit den berühmten Klosterbibliotheken etwa von Waldsassen, Wiblingen oder Schussenried allerdings kaum stand.

Nach der jahrzehntelangen Galavorstellung des Barock entdeckte das Rokoko Freude an Kammerspieltönen. Überdruß am »Ruhm durch Fülle und Pracht« bewirkte eine »taubenfüßige Revolution«. Neues Ideal war die verklärte sinnliche Liebe. Die Formen wurden fragiler, Pastell dominierte. Changierende Perlmuttöne und das Rosige des Muschelinneren bildeten einen charakteristischen Farbakkord dieser Epoche. Ein Hauch von Décadence durchwehte die Gemächer, in die nun intimere Wohn- und Lebensformen Einzug hielten. Hausenstein nannte das Rokoko das Diminutiv des Barock.

Im Schlösserbau waren wechselnde gesellschaftliche Aufgaben der Anstoß zu verschiedenen Bautypen: Stadt- und Landschloß, Sommer- und Winterresidenz, Jagd- und Lustschloß setzten sich zunehmend voneinander ab. Namen wie Solitude, Monrepos, Eremitage, Sanssouci oder gar Maison sans gêne kennzeichnen die Traumziele der fürstlichen Bauherren. Viele der kleinen Adelspalais, die jetzt in den Residenzen der deutschen Duodezstaaten entstanden, sind den Schlössern in ihrem künstlerischen Rang durchaus ebenbürtig. Um die Wende zum 19. Jahrhundert ahmten diese Palais immer häufiger die Bauformen der italienischen Villa nach. Der Klassizismus klopfte an die Tür.

dor, déjà mentionné et grand amateur de théâtre, ne s'est pas contenté d'embellir considérablement le parc de Schwetzingen et de mener à bonne fin les travaux de construction du château de Mannheim, il a également fondé une Académie des sciences et constitué une collection d'antiquités et une bibliothèque de plus de cent mille volumes. L'imposant Antiquarium de la Résidence de Munich, où aujourd'hui le ministre-président de Bavière se plaît à recevoir ses hôtes à dîner, est en fait un bâtiment de musée édifié en 1569 pour rassembler la collection d'antiquités du duc Albrecht V. De nombreux seigneurs tenaient tout particulièrement à avoir une bibliothèque importante et soignée. Un bâtiment pour la bibliothèque était adjoint au château de Wolfenbüttel. Pendant plus d'une décennie, le poète, critique et philosophe Gotthold Ephraïm Lessing s'occupa de la bibliothèque des ducs de Brunswick-Wolfenbüttel qui, au dix-huitième siècle déjà, comportait quelque 140 000 volumes. Toutefois pour ce qui est de la composition, du niveau artistique, les bibliothèques de château ne soutiennent guère la comparaison avec des bibliothèques d'abbayes célèbres comme celles de Waldsassen, Wilbingen ou Schussenried. Après la représentation de gala à laquelle s'était livré le baroque pendant des décennies, le rococo découvrit les plaisirs de spectacles moins grandioses, plus intimes. La satiété, le rassasiement de «gloire par l'abondance et le faste» entraîna une «révolution en douceur». Le nouvel idéal était l'amour sensuel transfiguré. Les formes se firent plus fragiles, les tons pastels dominèrent. Un souffle de décadence passait à travers les appartements où s'introduisaient des modes de vie et d'habitat plus intimes. Dans la construction des châteaux, le changement des tâches sociales auxquelles on les destinait suscitait différents types d'édifices: l'hôtel particulier et le château à la campagne, la résidence d'été et le résidence d'hiver, le pavillon de chasse et le château de plaisance se distinguent de plus en plus les uns des autres. Nombre de petits palais érigés à cette époque dans les capitales des multiples principautés, qui politiquement paralysaient l'Allemagne, sont d'un niveau artistique égal à ceux des châteaux. Au tournant du XIXᵉ siècle, ces palais allaient imiter de plus en plus les formes de la villa italienne. Le classicisme s'annonçait.

Sciences, a collection of antiques, and a library of over a hundred-thousand volumes. The great vaulted Antiquarium in Munich Palace, which the Bavarian Prime Minister uses for his receptions, was built in 1569, as a museum to house Duke Albrecht V's collection of antiques. Many nobles were particularly keen on having a large and well-kept library. The palace in Wolfenbüttel had a separate library building. For over a decade, no less a man than the writer, critic and philosopher Gotthold Ephraim Lessing looked after the book collection of the dukes of Braunschweig-Wolfenbüttel, which, in the 18ᵗʰ century, already numbered about 140,000 volumes. The artistic furnishings of the palace libraries, however, can scarcely be compared with those of the famous monastery libraries such as Waldsassen, Wiblingen, or Schussenried.

After the gala performance of the Baroque period, the Rococo age discovered more restrained delights. A surfeit of "prestige through profusion and splendour" brought about a gentle revolution. The new ideal was transfigured, sensual love. The forms became more fragile, pastel tints dominated. A characteristic combination of colours of this period consisted of shimmering mother-of-pearl tones and the pink of the inside of shells. A breath of decadence wafted through the rooms which now housed a more intimate life style. Hausenstein dubbed Rococo the "diminutive of Baroque".

Changing social requirements brought about new types of building: town and country houses, summer and winter palaces, hunting lodges and pavilions became more distinct from each other. Names like Solitude, Monrepos, Eremitage, Sanssouci, or even Maison sans gêne are suggestive enough of the new ideals of the builders. Many of the smaller houses of the aristocracy now being built in the capitals of the petty princedoms (which were having such a paralyzing effect on Germany's political development) were artistically on the same level as the great palaces. As the 19ᵗʰ century began, such houses were increasingly modelled on the Italian villa. Classicism was knocking at the door.

Fürstliche Flirts mit der Vergangenheit

Den Untergang des Absolutismus hatten die Barockfürsten, indem sie in hybrider Selbstherrlichkeit und oftmals rücksichtsloser Ausbeutung ihrer Untertanen Aufklärung und Revolution geradezu provozierten, seit langem vorbereitet. Damit war auch die große Zeit des Schloßbaus vorbei. Nach der Säkularisation der geistlichen Fürstentümer und der Unterwerfung vieler bis dahin souveräner Herrschaften unter die Landeshoheit waren ihre politischen Voraussetzungen nicht mehr gegeben. Daß auch im 19. Jahrhundert noch viele neue Schlösser entstanden sind, steht dem nicht entgegen. Für die fürstlichen Auftraggeber war es nun Mode geworden, sich mit der Vergangenheit auseinanderzusetzen. Die Orientierung an Vorbildern aus der Antike führte zum klassizistischen Schlösserstil, wie ihn in Preußen vor allem Karl Friedrich Schinkel, der geniale »Baumeister Berlins«, in München Leo von Klenze und Friedrich Gärtner, in Karlsruhe Friedrich Weinbrenner vertraten.

Aus der Verbindung von Klassizismus und Romantik entstand der Historismus: Neugotik, Neurenaissance und Neubarock dokumentieren ein verändertes Traditions- und Geschichtsbewußtsein, spiegeln das Heimweh nach der Macht und der Herrlichkeit vergangener Epochen wider, in denen fürstliche Gewalt noch unumschränkt geherrscht hat. Auch Schinkel hat sich ein paar Jahre lang, in denen er »die für uns kalte und bedeutungslose Architektur der früheren griechischen Antike zur Lösung tiefgreifender baukünstlerischer Aufgaben für unfähig« hielt, mit großer

Flirts princiers avec le passé

Les princes de l'époque baroque avaient préparé depuis longtemps le déclin de l'absolutisme en suscitant tout bonnement des idées de révolution par leur autocratie hybride et l'exploitation souvent impitoyable de leurs sujets. La grande époque de la construction des châteaux était ainsi révolue. Après la sécularisation des principautés ecclésiastiques et l'assujetissement de petits Etats jusque-là souverains, les conditions politiques qui avaient favorisé son épanouissement n'étaient plus réunies. Que de nombreux châteaux aient néanmoins été construits au dix-neuvième siècle ne vient pas infirmer ce fait. Pour les princes, il était maintenant devenu une mode de s'occuper du passé. La tendance à suivre des modèles de l'Antiquité aboutit au style classique des châteaux tel que l'ont représenté en Prusse Karl Friedrich Schinkel surtout, «l'architecte génial de Berlin», à Munich Leo von Klenze et Friedrich Gärtner, à Karlsruhe Friedrich Weinbrenner. De l'alliance du classicisme et du romantisme est né l'historisme: le néo-gothique, le néo-Renaissance et le néo-baroque attestent d'une prise de conscience modifiée des traditions et de l'histoire, reflètent la nostalgie du pouvoir et de la splendeur d'époques révolues durant lesquelles le pouvoir des princes était encore absolu. Pendant quelques années au cours desquelles il considéra «l'architecture, pour nous froide et sans importance, des débuts de l'Antiquité grecque incapable de résoudre d'importantes tâches architectoniques» Schinkel également a pris passionnément parti pour le style néo-gothique. La prédilec-

Princely flirtation with the past

The Baroque princes had long since prepared the way for the end of absolutism by their overweening authoritarianism and the often ruthless exploitation of their subjects which was bound to engender thoughts of Enlightenment and even of revolution. The great age of palace building was over. After the secularisation of the ecclessiastical princedoms and the annexation of many hitherto sovereign petty princedoms by larger units, the political conditions for palace building were no longer given. The fact that many new palaces were built in the 19th century is not in contradiction to this. For princely builders it now became fashionable to take an interest in the past. Orientation on Classical models brought about the development of the Classicist style of building – as demonstrated in Prussia especially by Karl Friedrich Schinkel, the brilliant "architect of Berlin", in Munich by Leo von Klenze, and Friedrich Gärtner, and in Karlsruhe by Friedrich Weinbrenner.

A marriage of Classicism and Romanticism gave birth to Historicism: the Gothic, Renaissance, and Baroque revivals reflected a new feeling for tradition and history, a longing for the power and the glory of past epochs in which princely authority was still unbroken. For a few years, in which he considered "the, for us, cold and insignificant architecture of the early period of Greek antiquity to be incapable of solving fundamental architectural problems", even Schinkel was an enthusiastic supporter of the "old German style" or Gothic revival. The Romantic preference for Gothic architecture, which found expression at that

Leidenschaft für den »altdeutschen Styl«, also für die Neugotik, eingesetzt. Die romantische Vorliebe für die Gotik, wie sie dazumal in vielen Wald-, Burg- und Wasserschlössern, vor allem in den Burgen am Rhein, zum Ausdruck kam, war mitbestimmt von einem pathetischen Patriotismus, vom Wunsch, der eigenen Geschichte Denkmäler zu setzen.

Um »eine deutsche Ritterburg im edelsten Stil des Mittelalters zu erbauen, die an Kühnheit der Lage, Festigkeit der Bauart und Bequemlichkeit im Innern, gepaart mit einfacher Schönheit, Schloß Eberstein und selbst das berühmte Hohenschwangau übertreffen sollte«, bediente sich Herzog Wilhelm von Urach einer literarischen Vorlage: »Wie das Nest eines Vogels auf die höchsten Wipfel einer Eiche oder auf die kühnsten Zinnen eines Turmes gebaut, hing das Schlößchen auf dem Felsen. Es konnte oben keinen sehr großen Raum haben, denn außer einem Turm sah man nur eine befestigte Wohnung, aber die vielen Schießscharten im untern Teil des Gebäudes und mehrere weite Öffnungen, aus denen die Mündungen von schwerem Geschütz hervorragten, zeigten, daß es wohlverwahrt und trotz seines kleinen Raumes, eine nicht zu verachtende Feste sei; und wenn ihm die vielen hellen Fenster des oberen Stockes ein freies, lustiges Ansehen verliehen, so zeigten doch die ungeheuren Grundmauern und Strebepfeiler, die mit dem Felsen verwachsen schienen und durch Zeit und Ungewitter beinahe dieselbe braungraue Farbe wie die Steinmasse, worauf sie ruhten, angenommen hatten, daß es auf festem Grund wurzle und weder vor der Gewalt der Elemente noch vor dem Sturm des Menschen erzittern werde. Eine schöne Aussicht bot sich schon hier dem überraschten Auge dar, und eine noch herrlichere freie ließ die hohe Zinne des Wartturmes und die lange Fensterreihe des Hauses ahnen ...«

Von dieser Vision aus dem berühmten Roman »Lichtenstein« des achtzehnjährigen Wilhelm Hauff war der Herzog derart begeistert, daß er seinem königlichen Vetter Wilhelm I. von Württemberg den Felsen mit den kümmerlichen Ruinen der alten Stammburg abkaufte, um aus der Dichtung Wahrheit zu machen.

tion romantique pour le gothique telle qu'elle s'est exprimée à l'époque dans de nombreux châteaux des bords du Rhin, était nourrie d'un patriotisme pathétique, du désir d'élever des monuments à l'histoire allemande. Afin de «construire un château fort dans le plus pur style médiéval, qui surpasserait le château d'Eberstein et même le célèbre château de Hohenschwangau pour ce qui est de la hardiesse de sa situation, la solidité de son architecture et le confort de son intérieur, le tout associé à une beauté faite de simplicité», le duc Wilhelm von Urach se servit d'un exemple puisé dans la littérature: «Le petit château était accroché au rocher comme le nid d'un oiseau sur la haute cime d'un chêne ou sur les créneaux les plus hardis d'une tour. En haut, il ne pouvait y avoir un très grand espace ...; car hormis une tour on ne voyait qu'un logement fortifié mais les nombreuses meurtrières dans la partie inférieure de l'édifice et plusieurs grandes ouvertures d'où pointaient les bouches de pièces lourdes montraient qu'il était bien gardé et que, malgré ses petites dimensions, c'était une forteresse non négligeable; et si les multiples fenêtres claires de l'étage supérieur lui donnaient un aspect dégagé et gai, les énormes soubassements et les arcs-boutants, qui semblaient faire corps avec le rocher et qui avec le temps et les intempéries avaient presque pris la même teinte d'un gris brun que la masse de pierre sur laquelle ils reposaient, montraient qu'il était bien enraciné et ne pouvait être ébranlé ni par la puissance des éléments ni par l'assaut des hommes. Un beau point de vue s'offrait déjà à l'œil étonné et le haut créneau de l'échauguette et la longue série de fenêtres laissaient présager un panorama encore plus merveilleusement vaste ...»

Le duc fut si enthousiasmé par cette vision tirée du célèbre roman «Lichtenstein» de Wilhelm Hauff qu'il acheta à son royal cousin Guillaume Ier de Wurtemberg le rocher avec les malheureuses ruines du vieux château familial pour transposer la poésie dans la réalité.

time in many woodland or moated palaces, and mock castles – especially in those along the Rhine – was motivated partly by a solemn patriotism, by the desire to build monuments to the country's history.

In order "to build a German knightly castle in the most noble medieval style, which, thanks to superb site, structural stability, and comfortable interior, coupled with a simple kind of beauty, will surpass Eberstein Castle and even the famous Hohenschwangau", Duke Wilhelm von Urach tapped a literary source: "The little castle was poised on the rock like the nest of a bird at the very top of an oaktree or on the topmost battlements of a tower. There could not have been much space up there, because, apart from a tower one could only see a fortified hall, but the many loopholes in the lower part of the building, and a number of larger openings from which the barrels of heavy guns protruded, showed that it was well protected, and, despite its limited space, was not to be despised as a fortress; and if the many bright windows in the upper storey gave it a pleasantly free appearance, the mighty foundation walls and buttresses, which appeared to have grown together with the rock, and which in the course of time had weathered to almost the same brownish-grey colour as the massif on which the building rested, showed that it was rooted on firm ground and that it would tremble neither before the force of the elements nor before the assault of man. The surprised onlooker is presented with a fine view from here, and the high battlements of the keep and the long row of windows of the house promised an even finer one ..."

The duke was so thrilled by this vision from the famous novel "Lichtenstein" by the eighteen-year-old author Wilhelm Hauff, that he bought the rock with the wretched ruins of the old ancestral castle from his royal cousin Wilhelm I of Württemberg and turned fiction into reality.

▶ **Ehemaliges Residenzschloß Koblenz,** Rheinland. Der letzte Kurfürst von Trier, Klemens Wenzeslaus, als »Königlicher Prinz von Polen und Litauen« am glänzenden Hofe in Dresden aufgewachsen, zog nur ungern in Ehrenbreitstein ein, wo seit dem Dreißigjährigen Krieg die Trierer Kurfürsten fast ständig residierten. In seinen Augen »ein zwischen Wasser und Klippen verengter Ort«. Zudem gingen Spukgeschichten um. Als dann zwei Türme abgetragen werden mußten, weil sie vom Einsturz bedroht waren, griff er 1776 seinen alten Plan für einen Residenzneubau in Koblenz wieder auf.

Jedoch nicht in die von hohen Mauern umgebene Stadt, an den Rhein, hinaus »aus der Straßen quetschender Enge« zieht es ihn. Ein prächtiges Residenzschloß und eine neue Stadt, die »Klemensstadt«, soll entstehen. Vielfältige Schwierigkeiten verzögern die Bauarbeiten: Der Architekt d'Ixnard genügt nicht den Anforderungen und wird wieder entlassen. Das Geld geht aus, und in Trier und Ehrenbreitstein will man sich auch die Vorteile einer Hofhaltung nicht gern entgehen lassen. Trotzdem: 1786 hält der Kurfürst seinen triumphalen Einzug in die neue Residenz.

Die Residenzbaukasse verbucht bis zum Jahre 1785 Ausgaben in Höhe von 574 199 Reichstalern. Das ist über die Hälfte mehr, als was das ganze Kurfürstentum in einem Jahr an Einkünften aufzuweisen hatte. Einen großen Teil steuern die Landstände bei, einen Teil die Forstkasse und die Kabinettskasse. Diese letztere war zum alleinigen eigenen Gebrauch des Landregenten bestimmt, zu Gnadenbezeugungen, Stiftungen und zur Verewigung seines Namens. Sie wurde gespeist aus den geistlichen Pfründen des Kurfürsten, einer jährlichen Apanage vom Dresdener Hof und – aus einem Zahlenlotto (1783 jedoch wegen des schädlichen Einflusses auf die Untertanen wieder verboten).

Vor den anrückenden französischen Revolutionstruppen bringt Klemens Wenzeslaus 1794 die kostbarsten Einrichtungsgegenstände in Sicherheit und geht nach Augsburg. Die Residenz dient als Lazarett und Kaserne und wird in den Jahren 1842 bis 1845 noch einmal als Residenz der Rheinprovinz für den preußischen König Friedrich Wilhelm IV. hergerichtet.

▶ **Château électoral à Coblence,** Rhénanie. En 1776, le dernier prince électeur de Trêves, Clément-Wenceslas, fit construire une nouvelle résidence à l'extérieur des murs de Coblence d'après les plans de l'architecte français Michel d'Ixnard. Elle fut terminée en 1786 mais, huit ans plus tard, l'électeur dut prendre la fuite devant les troupes de la révolution française. Le château servit alors d'hôpital et de caserne. Mais, de 1842 à 1845, il fut rénové pour servir de résidence au roi prussien, Frédéric-Guillaume IV, lorsque celui-ci visitait sa province de Rhénanie.

▶ **Former Electoral Palace, Koblenz,** Rhineland. The last Elector of Trier, Clemens Wenzeslaus, had this new palace built outside the Koblenz walls to the plans of the French architect d'Ixnard. It was finished in 1786, but only eight years later the Elector had to flee from the French revolutionary troops. The palace then served as a hospital and barracks, but from 1842 to 1845 it was renovated to serve as a residence for the Prussian King, Friedrich Wilhelm IV, when he visited his Rhineland province.

◀ **Erzbischöfliches Schloß in Trier,** Rheinland. Südflügel. Diesen Neubau von 1761 entwarf der Schüler Balthasar Neumanns Johann Seitz. Während der Regierungszeit des Bauherrn, Kurfürst Johann Philipp von Walderdorff (1756–1768), herrschte ein luxuriöses weltliches Treiben. Er starb 1768, und das Urteil des Sekretarius Marschall über ihn ist nicht gerade schmeichelhaft für einen geistlichen Landesherrn: In seinen letzten Lebensjahren sei er schläfrig, faul und gedächtnisschwach gewesen und habe kaum mehr zum Regieren getaugt. Bei seinem Tode hinterließ er nicht nur diesen Südflügel mit einem prächtigen Rokoko-Treppenhaus von Ferdinand Dietz, sondern auch eine Finanzmisere ohnegleichen. Klemens Wenzeslaus, sein Nachfolger und zugleich letzter Kurfürst von Trier, wohnte nur noch selten hier, er hatte seine Residenz nach Koblenz verlegt.

Fast gespenstisch mutet eine Szene an, die sich noch später vor dem erzbischöflichen Schloß abgespielt hat: »Am 27. Juli 1799, wo die französischen Beamten und Angestellten zu Trier das Fest der Freiheit feierten, wurde bei dem Umzug auf einem Wagen die vorher bei dem dortigen Hochgericht gebrauchte Folterbank nebst dem auf dem alten Markte gestandenen Stock, das Halseisen genannt, nachgeführt; der Wagen war von vier Mann umgeben, welche brennende Fackeln trugen. Auf dem großen Palastplatze, wo ein Freiheitsaltar aufgerichtet war, wurden diese Instrumente öffentlich verbrannt.« Damit war das finstere Kapitel der Hexenverfolgungen auch im Kurfürstentum Trier abgeschlossen – fast hundert Jahre später als in Preußen. Gleichzeitig hat allerdings auch das Kurfürstentum selber aufgehört zu existieren.

◀ **Château de l'archevêque à Trêves,** Rhénanie. Aile sud. Johann Seitz, un élève du célèbre architecte Balthasar Neumann conçut le plan de cette aile que le prince électeur Johann Philipp von Walderdorff fit construire de 1757 à 1761. Le château a brûlé complètement au cours de la deuxième guerre mondiale mais la façade et le merveilleux escalier rococo ont été restaurés.

◀ **The Archbishop's Palace in Trier,** Rhineland. South wing. This wing was designed by Johann Seitz, a pupil of the famous architect Balthasar Neumann, and Elector Johann Philipp von Walderdorff had it built in 1757 to 1761. The palace was ravaged by fire in the second world war, but the façade and the wonderful Rococo staircase were restored.

◀ **Schloß Quint** bei Trier, Rheinland. Am fünften Meilenstein auf der Römerstraße von Trier nach Andernach (quintus = der Fünfte, daher der Name) machte der frühere Offizier Franz Pidoll aus Lothringen den Anfang. Zusammen mit einem gewissen Jean de Thierre gründete er 1683 eine Eisenschmelze. 1702 konzessioniert der Trierer Kurfürst die Hütte, in der schon bald über 200 Arbeiter beschäftigt sind. Dafür, daß sie so vielen Menschen»in den entlegensten Waldungen« Nahrung geben, werden die Pidolls 1714 von Kaiser Karl VI. in den erblichen Adelsstand erhoben. Zu Quint kamen bis etwa 1740 noch drei weitere Werke hinzu. Und da ist es dann auch höchste Zeit für einen dem Ansehen und Reichtum entsprechenden Wohnsitz: ein Schloß. Es sind vermutlich dieselben Leute am Werk wie beim gleichzeitig neugebauten Südflügel des erzbischöflichen Schlosses in Trier, Johann Seitz und Ferdinand Dietz. Das – vorläufige – Ende kam bald. Als die französischen Revolutionstruppen alles beschlagnahmten und den Betrieb stillegten, stand der Bankrott ohnehin unmittelbar bevor. 1808 wird ein neuer Anfang gemacht, und 1872 arbeiten hier 1200 Menschen. Doch der Niedergang der Eisenindustrie in der Eifel Ende des 19. Jahrhunderts macht auch vor Quint nicht halt: 1890 wird der letzte Hochofen ausgeblasen. Heute stellt das Werk als Zweigniederlassung der Klöckner-Werke wieder gußeiserne Öfen her, wie früher.

◀ **Château de Quint** près de Trèves, Rhénanie. Le nom vient de «quintus», la cinquième, en fait la cinquième borne militaire de la voie romaine allant de Trèves à Andernach. Le Lorrain Franz Pidoll y créa en 1683 une fonderie qui fit la fortune de la famille. Celle-ci annoblie se construisit un château en 1760. La fonderie subit le même sort que les autres usines sidérurgiques de la région de l'Eifel. A la fin du 19e siècle, les hauts fourneaux furent éteints.

◀ **Quint Palace** near Trier, Rhineland. The name derives from "quintus", the fifth – the fifth milestone, in fact, on the Roman road from Trier to Andernach. Franz Pidoll from Lorraine founded an iron works here in 1683, became rich, and was ennobled. The palace was built in 1760. The ironworks suffered the same fate as the others in the Eifel region: the blast furnaces were stopped at the end of the 19th century.

▶ **Schloß Föhren** bei Trier, Rheinland. Ein alter, gewundener Weg führt vom Dorf zum ehemaligen Wasserschloß. Seit über sechshundert Jahren sind Burg und Feste »Furne« mit dem Namen der Familie von Kesselstadt verbunden, die es auch heute noch bewohnt. Sie stammt aus dem Dörfchen Kesselstadt bei Hanau, damals zum Stammland der Herren von Falkenstein gehörig. Und mit dem Erzbischof Kuno von Falkenstein (1362–1388) sind die Kesselstadt in die Trierer Gegend gekommen. Im Wappen führen sie einen roten Drachen auf silbernem Grund.
Außer Föhren erwarben die Kesselstadt bald die Burg Klotten, 1585 Klüsserath, im 17. Jahrhundert den Wirtschaftshof Kordel, Lösnich, Bruch, Dodenburg und – noch vor ihrer Erhebung in den Freiherrenstand 1718 – Bekond. 1776 stiegen sie sogar in den Reichsgrafenstand auf. Einer der schönsten Domherrenhöfe in Trier, das 1740 erbaute Palais Kesselstadt, wurde für Melchior von Kesselstadt errichtet.
Doch zurück zu Föhren: Der Wassergraben ist schon längst trockengelegt und mit dem grünen Grasteppich ausgefüllt. Das Schloß selber (1663), ziemlich schmucklos, wirkt fast bäuerlich, sehr erdverbunden und neugierige Blicke abwehrend. Wer weiß, wo der rote Drache, das Wappentier, jetzt schläft . . .

▶ **Château de Föhren** près de Trèves, Rhénanie. Les douves du château à l'aspect si rébarbatif construit au 17e siècle sont asséchées depuis longtemps. La famille von Kesselstadt y réside depuis le 14e siècle.

▶ **Föhren Palace** near Trier, Rhineland. The moat of this rather forbidding-looking palace, built in the 17th century, has long since been drained. The palace has been the home of the von Kesselstadt family since the 14th century.

◀ **Schloß Eicks** bei Euskirchen, Niederrhein. Am Rande der Eifel liegt das Schloß ins schöne Rothbachtal gebettet und blickt fast finster drein. Die geschwungenen Hauben und Laternentürmchen vermögen den blockhaften Eindruck nicht abzuschwächen, und unverhohlen weisen die schlüssellochförmigen Schießscharten in den wuchtigen Ecktürmen auf die Abwehrbereitschaft hin. Wer genügend Distanz hält, kann allerdings auch sehen, wie weiträumig die Anlage ist mit der Vorburg, dem Gartenpavillon und dem Staudengarten.
Das Ende des 17. Jahrhunderts erbaute Wasserschloß ist typisch für die Adelssitze im Rheinland aus der Barockzeit.

◀ **Château d'Eicks** près d'Euskirchen, Rhin inférieur. Ce castel d'eau construit à la fin du 17e siècle a la forme d'un bloc qui est typique des résidences seigneuriales de l'époque du baroque en Rhénanie. Il est fort bien situé dans la vallée du Rothbach.

◀ **Eicks Palace** near Euskirchen, Lower Rhine. This moated palace, built at the end of the 17th century, has the block-like form typical of the great houses of the Baroque period in the Rhineland. It has a lovely setting in the valley of the Rothbach.

▶ **Schloß Neuwied,** Rheinland. Wo der Dreißigjährige Krieg in dem Ort Langendorf sein Zerstörungswerk vollendet hatte, gründete Graf Friedrich von Wied die Stadt Neuwied. Es sollte eine neue Heimat für Angehörige aller Konfessionen sein. Wer sich an die Bauvorschriften hielt, bekam einen kostenlosen Bauplatz. Nach der Aufhebung des Edikts von Nantes (1685) kamen vor allem Hugenotten aus Frankreich nach Neuwied, aber auch Mennoniten und Herrenhuter. Aus der Werkstatt der Herrenhuter Brüdergemeinde gingen die Möbeltischler Abraham Roentgen und sein Sohn Daniel hervor. Kunden der Roentgen-Manufaktur waren Grafen und Fürsten. Innerhalb weniger Jahre (Ende 18. Jahrhundert) wurde dieses Unternehmen, dank der puritanischen Ethik der Herrenhuter, in Verbindung mit einer kapitalistischen Betriebsorganisation die marktbeherrschende Manufaktur für höfische Möbel in Mitteleuropa.
Selbstverständlich baute Graf Friedrich von Wied 1653 nicht nur für andere, sondern auch für sich, ein Schloß, das aber wenige Jahrzehnte später im Franzosenkrieg von 1693 schwere Schäden erlitt. Das heutige Schloß ist ein Bau von 1707 bis 1716, nach Plänen des Baumeisters Julius Ludwig Rothweil, mit einem reich stuckierten Festsaal.

▶ **Château de Neuwied,** Rhénanie. A l'emplacement d'un village détruit pendant la guerre de trente ans, le comte Friedrich von Wied fit construire, en 1653, un château et une ville qui devait accueillir des membres de toutes les confessions. Sous sa forme actuelle, le château a été édifié de 1707 à 1716.

▶ **Neuwied Palace,** Rhineland. The village that once stood on this site was destroyed in the Thirty Years' War. Later, in 1653, Count Friedrich von Wied had a palace and a town built in its place in which people of all denominations were welcome. The present palace was built in 1707 to 1716.

◀ **Burg Gudenau** bei Bad Godesberg, Rheinland. Die Grafen von Hochstaden erbauen die Burg im 13. Jahrhundert. Der letzte Namensträger dieses Geschlechts, Konrad von Hochstaden, 1238 bis 1261 Erzbischof von Köln, schenkt die gesamten Familienbesitztümer und damit auch die Gudenau 1246 dem Erzstift Köln. Das ist im selben Jahr, als er zusammen mit dem Mainzer und dem Trierer Erzbischof den Thüringer Landgrafen Heinrich Raspe zum Gegenkönig des vom Papst gebannten Friedrich II. von Hohenstaufen wählt.
Unter den Burggrafen von Drachenfels und den Walbott zu Bassenheim als kurkölnischen Lehnsträgern wird die ursprüngliche Anlage bis ins 18. Jahrhundert zu einem der reizvollsten Wasserschlösser des Rheinlandes ausgebaut.

◀ **Château de Gudenau** près de Bad Godesberg, Rhénanie. Avec ses imposantes tours et ses toits, situé au milieu d'un étang, Gudenau est un des plus ravissants castels d'eau de Rhénanie. D'origine médiévale, il a été agrandi et transformé à plusieurs reprises au cours des siècles.

◀ **Gudenau Castle** near Bad Godesberg, Rhineland. With its great towers and roofs, Gudenau is one of the most delightful moated palaces in the Rhineland. Medieval in origin, is has been extended and refurbished a number of times in the course of the centuries.

◀ **Schloß Augustusburg,** Brühl, Niederrhein. Dieses Bild von Augustusburg vermittelt einen fast strengen Eindruck, und der kann nicht so stehenbleiben. Es gibt noch andere Bilder zu diesem Schloß:

Der Bauherr im blau-weiß gemusterten Morgenmantel und mit Zipfelmütze, eine Tasse in der Hand. Das ist Clemens August, bayerischer Herzog, Kurfürst von Köln, »Monsieur de Cinq-Eglises« (Erzbischof von Köln, Bischof von Paderborn, Münster, Hildesheim und Osnabrück) und Hochmeister des Deutschen Ordens. Das Gemälde (von Joseph Vivien) hängt überm Kamin im Lackkabinett von Jagdschloß Falkenlust, ein intimes, in blau-weiß gehaltenes Rokokoschlößchen, durch eine Allee mit Augustusburg verbunden. Man stelle sich vor: Wenig später liest der Landesherr im Bischofsgewand und mit Mitra die Messe. Denn fromm war er ja trotz allem. Aber danach heißt es gleich: Nichts wie rein ins Vergnügen! Jagd, Schauspiel, Opern, Essen, Frauen . . . 1735 zieht er sich mit Madame Schreiberin für geraume Zeit nach Falkenlust zurück (ihre Karriere endete übrigens im Kloster). Es folgten die Gräfin Seinsheim, die Fürstin von Nassau-Siegen. Als er sich aber mit der Tochter des preußischen Staatsministers Kameke, Frau von Brandt, in Hamburg öffentlich auf Maskenbällen zeigt, ist das selbst für damalige Verhältnisse ein Skandal.

Hierher paßt gut ein anderes Gemälde (von Franz Jakob Rousseau): Maskenball im Bonner Residenztheater 1754. Ganz im Vordergrund steht der Gastgeber Clemens August. Fesch und stramm sieht er aus im Husarenkostüm, der »Monsieur de Cinq-Eglises«!

Noch ein letztes Bild: das »Indianische Haus« im Park von Schloß Augustusburg (um dieselbe Zeit entstanden und wahrscheinlich auch von Rousseau). Die China-Mode hat auch Clemens August erfaßt. Er schafft sich gleich hinterm Haus seine Illusion vom Land des ungetrübten irdischen Glückes. Die Gebäude verfallen später und werden Anfang des 19. Jahrhunderts ganz abgerissen.

Nach dem Tod des Kurfürsten ging der Spruch um:
    Bei Clemens August trug man blau und weiß,
    da lebte man wie im Paradeis.

◀ **Château d'Augustusburg,** Brühl, Rhin inférieur. Clemens August, prince électeur de Cologne et «Monsieur de Cinq-Eglises» posa lui-même, en 1725, la première pierre du château qui allait devenir sa résidence préférée. Il y délaissait la politique pour s'adonner à d'autres passe-temps.

◀ **Augustusburg Palace,** Brühl, Lower Rhine. Clemens August, Elector of Cologne, and "Monsieur de Cinq-Eglises" himself laid the corner-stone of Augustusburg in 1725, and it became his favourite residence. Here he took time off from politics to pursue a variety of pastimes.

◀ **Poppelsdorfer Schloß,** Bonn, Niederrhein. Jagdschloß Clemenswerth und Falkenlust, Sommerresidenz Augustusburg und jetzt in den Jahren 1730/40 noch Lust- und Gartenschloß Clemensruhe, wie das Poppelsdorfer Schloß eigentlich heißt – das ist noch nicht alles, was Kurfürst Clemens August während seiner Regierungszeit bauen ließ. Sein Kunstsinn hat in seinem Einflußbereich Bedeutendes und Originelles entstehen lassen. Dieses Schloß beispielsweise ist quadratisch mit einem kreisrunden Innenhof. Berühmte Architekten wie Schlaun, Cuvilliés und Neumann arbeiteten für ihn. Doch für die Politik des Kölner Kurfürsten hatte seine Baulust weniger ruhmreiche Folgen. Um seine Bauten finanzieren zu können, machte er sich zum Verbündeten dessen, der ihm am meisten sogenannte Subsidien dafür bezahlte. So schloß er 1734 einen Vertrag mit Frankreich, in dem Clemens August die Aufstellung von 10 000 Soldaten und die Vertretung der französischen Interessen im Reich zusagte. Frankreich versprach dafür jährlich Subsidien in Höhe von 300 000 Gulden. Ein Frontwechsel des Kurfürsten kostete die mit Österreich verbündeten Seemächte England und Holland jährlich 260 000 Gulden. 1747 winkten von Frankreichs Seite 20 000 Gulden, 1750 von den Seemächten wieder 400 000 Gulden. Und das war noch nicht der letzte Wechsel. Kaiser Franz bezeichnete ihn als »vraie girouette«, als wahre Wetterfahne. Demgemäß blühte auch – und das seit dem Sturz seines Ministers Plettenberg – die Günstlingswirtschaft am Bonner Hofe. In seinen melancholischen Phasen, die der Kurfürst nach dem Tode seines besten Freundes Roll immer häufiger hatte, zog er sich oft ins Poppelsdorfer Schloß zurück, begleitet nur von seinen engsten Vertrauten und einem Servitenmönch vom nahegelegenen Kreuzberg.

◀ **Château de Poppelsdorf** à Bonn, Rhin inférieur. En réalité, ce château s'appelle «Clemensruhe». Il a été construit de 1730 à 1740 et le prince électeur Clemens August s'y retirait volontiers pendant ses périodes de mélancolie en compagnie uniquement de quelques intimes et d'un moine.

◀ **Poppelsdorf Palace,** Bonn, Lower Rhine. The palace, properly called Clemensruhe, was built in the years 1730/1740. Clemens August, Elector of Cologne, often withdrew here during his periods of melancholy, accompanied only by a few intimates and a monk.

▶ **Schloß Frens,** Niederrhein. Die Fenster machen aus Weiß ihre Schwünge, das helle Grau ist in die Ornamente der Giebel gebannt, das dunkle auf die Dächer, und das Gelb vermischt sich mit Sonnenstrahlen. Schloß Frens spielt mit den Farben des Winters und nimmt ihm seine Strenge.
Ab 1347 sitzen die Raitz, eine Kölner Patrizierfamilie, auf Frentz und nennen sich nach dieser Wasserburg Raitz von Frentz. In seinem Kern reicht das Gebäude ins 15. Jahrhundert. Umgestaltung im Renaissance-Stil nach niederländischem Vorbild im 16. Jahrhundert. Durch Heirat gelangt das Schloß 1722 an die Beissel von Gymnich, deren Nachkommen es noch gehört.

▶ **Château de Frens,** Rhin inférieur. L'essentiel de l'édifice date du 15ᵉ siècle. Les jolis pignons Renaissance, construits d'après le modèle hollandais, sont du 16ᵉ siècle.

▶ **Frens Palace,** Lower Rhine. The building dates back largely to the 15th century, but the fine Renaissance gables, whose style reveals a Dutch influence, are 16th century.

◀ **Schloß Schlenderhan** bei Quadrath, Niederrhein. Welt-bekannt sind die rassigen Vollblüter vom Gestüt der Frei-herren von Oppenheim, die 1870 Schloß Schlenderhan er-warben. Bis zum Aussterben im Mannesstamm (1864) hat es seit Anfang des 16. Jahrhunderts einer Nebenlinie der Raitz von Frentz gehört. 1655 brachte die Tochter des be-rühmten Generals Jan van Werth, mit Winand Hieronymus Raitz von Frentz-Schlenderhan verheiratet, noch Kellen-berg in den Familienbesitz.
Auch dieses barocke Schloß ist durch den Abbau der Braunkohle im Erftgebiet unmittelbar bedroht.

◀ **Château de Schlenderhan** près de Quadrath, Rhin infé-rieur. Les pur-sang du haras des barons d'Oppenheim, qui achetèrent le château en 1870, sont mondialement connus. Cet édifice également est directement menacé par l'exploi-tation du lignite dans la région.

◀ **Schlenderhan Palace** near Quadrath, Lower Rhine. The thoroughbred horses from the stud of the von Oppenheims, who bought the palace in 1870, are famous. The building is threatened by the lignite mining operations in the area.

▶ **Schloß Türnich** bei Kerpen, Niederrhein. Noch schwim-men die Enten auf den Weihern, der schöne Park breitet sich wie ehedem aus, noch stimmen die guten Proportio-nen. Das Schloß hat mehr als zweihundert Jahre überstan-den, seit es 1757 bis 1766 für die Familie von Rolshausen nach Plänen errichtet wurde, die vermutlich aus der Umge-bung des kurkölnischen Hofarchitekten Michael Léveilly stammen. Aber heute ist die »Herrlichkeit Türnich«, am Rande des Braunkohleabbaugebietes an der Erft gelegen, von Senkungsschäden bedroht infolge des absinkenden Grundwasserspiegels. Und das weitere Schicksal ist unge-wiß.

▶ **Château de Türnich** près de Kerpen, Rhin inférieur. Cet édifice bien proportionné du milieu du 18ᵉ siècle, avec son beau parc et ses étangs, montre déjà des signes d'affaisse-ment considérables, ce qui est dû à l'exploitation du lignite le long de l'Erft et à l'abaissement du niveau de la nappe d'eau souterraine qu'elle entraîne.

▶ **Türnich Palace** near Kerpen, Lower Rhine. This well-proportioned mid-18th century building, with its splendid park and ornamental lakes, is suffering from serious struc-tural damage, due to subsidence resulting from lignite min-ing along the River Erft.

▶ **Schloß Dyck** bei Mönchengladbach, Niederrhein. Durch drei Vorburgen, über Gräben und Weiher geht es zum Schloß. Seinen Namen hat es von den Herren von Dyck, die schon 1094 in einer Urkunde als Burgherren auftauchen. Nicht nur einmal in Fehde mit ihren Nachbarn, mit Köln, Geldern und Jülich, zwangen diese 1383 den Raubritter Gerhard von Dyck, seine Burg zu zerstören. Nach neun Jahren war er schon wieder für eine Machtprobe gerüstet. Nur starb er dann. Die Herren von Reifferscheidt erbten Dyck und nannten sich später nach ihren Gütern von Salm-Reifferscheidt-Dyck. 1804 wurden sie in den Reichsfürstenstand und wenige Jahre später in den preußischen Fürstenstand erhoben.
Ernst Valentin, kurkölnischer Oberst, nahm 1656 einen Neubau in Angriff, dem im wesentlichen die heutige Gestalt des Schlosses entspricht. Im 18. Jahrhundert erhält es eine reiche Innenausstattung, und das schöne Brückenhaus im Park entsteht.
Der Park! Fürst Joseph (1773–1861) war Botaniker. Seine Fettblattpflanzen in den Gärten von Dyck sind verschwunden, nicht aber die seltenen Gehölze, die er pflanzen ließ, darunter ein ganz seltener Ginkgobaum.
Obwohl immer noch im Privatbesitz dieser Familie, können Schloß und Park doch besichtigt werden.

▶ **Château Dyck** près de Mönchengladbach, Rhin inférieur. Il faut traverser trois murs d'enceinte, franchir des douves et un étang pour arriver au château dont la forme actuelle date pour l'essentiel du 17ᵉ siècle. Mais la charmante maison du pont et le merveilleux parc planté d'essences rares sont du 18ᵉ siècle. Bien que le château soit toujours la propriété du prince de Salm-Reifferscheidt-Dyck, il est ouvert au public.

▶ **Dyck Palace** near Mönchengladbach, Lower Rhine. The visitor has to pass through three baileys, and cross moats and a pond to get to the main house. Its present form is largely 17th century, but the charming bridge house and the magnificent park with rare trees and plants are 18th century. The palace is still owned by the Prince of Salm-Reifferscheidt-Dyck, but is open to the public.

▶ **Schloß Bedburg** bei Bergheim/Erft, Niederrhein. Ein Schloß mit Bollwerkgesicht, von so vielen Angriffen, so vielem Hin- und Hergezerre, so vielen Kriegsschäden in der Vergangenheit. Und trotzdem hat es seinen fast 700 Jahre alten Turm hinüberretten können. An diesem Gesamteindruck ändern auch geschwungene Renaissancegiebel nicht viel. Nur im Innenhof, im alten Brunnenhof der Burg, bringen die schönen, klassischen Säulenarkaden einen Hauch südlicher Eleganz zwischen die Backsteinmauern. Welches Schloß hätte im 19. Jahrhundert der Rheinischen Ritterschaft besser als Ritterakademie dienen können! Sie erwarb es 1842 und verkaufte es 1922 wieder an die Braunkohlegewerkschaft »Union«.

▶ **Château de Bedburg** près de Bergheim/Erft, Rhin inférieur. Il n'est pas difficile d'imaginer que Bedburg fut autrefois une forteresse. Dans la cour intérieure, de belles arcades d'un style classique apportent entre les murs de brique une note d'élégance méridionale.

▶ **Bedburg Palace** near Bergheim/Erft, Lower Rhine. It is not hard to imagine that Bedburg was once a fortress, In the inner courtyard, a fine Classical arcade (1590) adds a touch of southern elegance to the red brick building.

▶▶ **Schloß Rheydt,** Mönchengladbach, Niederrhein. Von den Kaufmannschaften in Lüttich und Köln aufgebotene Söldner zerstörten das Raubritternest Gerhards I. von Heppendorf gründlich, im Jahre 1464. Der schöne Arkadenhof versetzt uns in die Zeit, als Otto von Bylandt Herr auf Rheydt war, rund hundert Jahre nach der Zerstörung der Burg. Was in der Zwischenzeit an Gebäuden wieder entstanden war, erweiterte er zu einem repräsentativen Herrenhaus. Er war Hofmeister und Rat des Herzogs von Jülich. In reizvollem Gegensatz zum Herrenhaus stehen die starken Befestigungen, eine Wehranlage aus Vorburg, Eckbastionen, doppeltem Wassergraben und Wall dazwischen. Eine solche Befestigung entsprach auch dem Interesse des Herzogtums, dessen Unterherrschaft Rheydt direkt an der Grenze zum Kölner Herrschaftsbereich lag.
Es ist überliefert, daß dieser Schloßherr sehr hart gegen seine Untertanen war. Hohe Steuern und übermäßige Dienstleistungen sind hier wie anderswo die Kehrseite so schöner Schloßbauten. Er soll auch den Bauern befohlen haben, ihren Hunden die Pfoten abzuschlagen. Nur weil sie ihn bei der Jagd störten.
Die Herrschaft Rheydt endet 1794, aber das Schloß überdauerte die Jahrhunderte ohne wesentliche Veränderungen. Seit 1917 ist es im Besitz der Stadt Rheydt (heute zu Mönchengladbach gehörig), die ein Heimatmuseum einrichtete. Wir finden hier nicht nur wertvolle Stücke aus Kunst und Kunsthandwerk der Renaissance und des frühen Barock, sondern im Vorburg-Museum zwölf noch funktionierende Webstühle, wo die Besucher selber Hand anlegen können. 1978 erhielt Rheydt den Europapreis der Museen.

▶▶ **Château de Rheydt,** Mönchengladbach, Rhin inférieur. Les magnifiques arcades de la cour nous ramènent au 16e siècle lorsque Otto von Bylandt, l'intendant et conseiller du duc de Jülich, était le seigneur de Rheydt où il se fit construire une imposante demeure fortifiée. Le château offre aujourd'hui un cadre adéquat au musée d'art et d'artisanat de la Renaissance et du début du baroque.

▶▶ **Rheydt Palace,** Mönchengladbach, Lower Rhine. The fine arcade takes us back to the 16th century, when Otto von Bylandt, steward and counsellor to the Duke of Jülich, was the local ruler in Rheydt, and built himself an imposing and strongly fortified house. Today, the palace provides an appropriate setting for artefacts of the Renaissance and early Baroque periods.

◀ **Schloß Gimborn,** Bergisches Land, Niederrhein. Seit dem 13. Jahrhundert ist Gimborn ein kleiner Herrensitz. 1550 kommt er durch Heirat an das mainfränkische Geschlecht von Schwarzenberg, das in den Wirren des Dreißigjährigen Krieges um Gimborn eine kleine Herrschaft aufbauen kann und vom Kaiser Reichsunmittelbarkeit erlangt.
Der südliche Hauptturm geht auf das 15. oder 16. Jahrhundert zurück, das Herrenhaus ist 1602 errichtet worden. Eine Karstquelle speiste schon im Mittelalter das Grabensystem der alten Wasserburg. Wenn auch von dieser nichts mehr erhalten ist, die Quelle ist noch nicht versiegt, und wenn der Schnee schmilzt im Waldtal der Leppe, spiegeln sich die Mauern und Türme wider im Teich beim Schloß.

◀ **Château de Gimborn,** Rhin inférieur. Il ne reste plus rien du castel d'eau médiéval mais la source qui alimente les douves n'est pas encore tarie. Le logis du châtelain avec ses quatre tours fut construit à la fin du 16ᵉ siècle lorsque les comtes de Schwarzenberg y résidaient et que Gimborn obtint l'immédiateté.

◀ **Gimborn Palace,** Lower Rhine. Nothing remains of the medieval moated castle, but the spring that fed the moat is still flowing. The house, with its four towers, was built in around 1600, when the Counts of Schwarzenberg lived here, and Gimborn and its owners were answerable only to the Emperor.

▶ **Schloß Badinghagen** bei Meinerzhagen, Westfalen. Nahe der Aggerquelle liegt der Stammsitz der Ritter von Badinghagen. Nach den Herren von Karthausen ging der Besitz an Friedrich von Neuhoff genannt Ley über, der die kleine Wasserburg aus dem 17. Jahrhundert zum Schlößchen ausbauen läßt. Mit dem Fachwerk, den Giebeln des Torturmes und dem Schindeldach wirkt es heimelig und einladend.

▶ **Le manoir de Badinghagen** dans la région de Meinerzhagen, Westphalie. La résidence des chevaliers de Badinghagen, située près des sources de l'Agger, devint plus tard ce ravissant petit château avec un miroir d'eau.

▶ **Badinghagen Manor** near Meinerzhagen, Westphalia. The seat of the von Badinghagen family near the source of the River Agger was later converted into this delightful little moated manor house.

▶▶ **Schloß Raesfeld,** Münsterland, Westfalen. Bis ins 16. Jahrhundert ist das Gut mit einer wasserbewehrten Turmburg Sitz einer Linie der Herren von Gemen. Als sie aussterben, treten die Herren von Velen das Erbe an, und damit beginnt die eigentliche Glanzzeit für Raesfeld. Im Dreißigjährigen Krieg steigt Alexander II. zum kaiserlichen General und Generalbevollmächtigten der katholischen Liga auf und wird 1642 vom Kaiser in den erblichen Reichsgrafenstand erhoben. Er, den man auch »westfälischen Wallenstein« nennt, baut die alte Wasserburg bis 1658 zu einem herrschaftlichen Schloß um. Er war Alchimist, und wie Wallenstein hatte er es mit den Sternen: Im »Sterndeuterturm« ließ er ein Observatorium einrichten. Was Alexander an Besitztümern angehäuft hatte, verschleuderte sein Sohn größtenteils in wenigen Jahren wieder. Im 19. Jahrhundert standen Vorburg und Hauptburg meist leer, verwahrlosten, zwei Flügel der Hauptburg wurden ganz abgebrochen, bis Graf Max von Landsberg seit 1922 diesem Verfall Einhalt gebot.

▶▶ **Château de Raesfeld,** Münsterland, Westphalie. Raesfeld connut sa période de gloire lorsque Alexandre II von Velen le fit transformer en un somptueux château. Pendant la guerre de trente ans, il était devenu général de l'Empire et plénipotentiaire de la Ligue catholique, avait été fait comte du Saint Empire romain germanique et amassé une fortune considérable.

▶▶ **Raesfeld Palace,** Münsterland, Westphalia. The great days of Raesfeld came when Alexander II of Velen had it rebuilt in the grand style. He had risen during the Thirty Years' War to the rank of general in the Imperialist army and plenipotentiary of the Catholic League, had been made a Count of the Holy Roman Empire, and had amassed a considerable fortune.

◀ **Schloß Anholt** an der Issel, Westfalen. Wahrscheinlich schon in der ersten Hälfte des 13. Jahrhunderts erbaut sich ein Angehöriger der niederrheinischen Familie van Zuylen oder von Sulen am Südufer der Issel die Wasserburg Anholt, nach der sich sein Geschlecht künftig nennt. Trotz mächtiger Nachbarn wie den Herzögen von Geldern und den niederländischen Generalstaaten können die Herren von Anholt und ihre Nachfolger Hermann von Gemen und die Herren von Bronckhorst die Unabhängigkeit ihrer kleinen Herrschaft wahren und sogar die Anerkennung der Reichsunmittelbarkeit erwirken.

Ihre Kaisertreue müssen Jakob und Dietrich von Bronckhorst allerdings zeitweise mit dem Verlust von Anholt bezahlen. In der großen Geldernschen Fehde vertreibt Herzog Karl von Geldern 1512 die benachbarten habsburgischen Parteigänger aus ihrer kleinen Herrschaft Anholt. Erst ein Spruch Kaiser Karls V. setzt Dietrich von Bronckhorst 1540 wieder in seine vollen Rechte ein. Auch im spanisch-niederländischen Krieg (1568–1609) und im Dreißigjährigen Krieg sieht man die Anholter auf habsburgisch-kaiserlicher Seite. 1641 geht die Herrschaft durch Heirat der Erbtochter an die Fürsten zu Salm über.

Vorburg und Hauptburg liegen auf zwei großen Inseln. Die unregelmäßige Anlage zeugt von der immer wieder einsetzenden Baulust seiner Besitzer vom 13. bis zum 17. Jahrhundert.

◀ **Château d'Anholt** sur l'Issel, Westphalie. Les seigneurs d'Anholt et leurs successeurs ont réussi à maintenir l'indépendance de leur petit domaine malgré de puissants voisins. La très vaste construction irrégulière – le mur d'enceinte et le château principal sont construits sur deux grandes îles – atteste la frénésie de construction qui anima épisodiquement ses propriétaires du 13ᵉ au 17ᵉ siècle.

◀ **Anholt Palace** on the Issel, Westphalia. The various lords of Anholt succeeded in maintaining the independence of their small estate despite problems with powerful neighbours. The very large irregular complex – the bailey and the main castle are built on two large islands – demonstrates the enthusiasm for building which overcame the owners sporadically between the 13ᵗʰ and 17ᵗʰ centuries.

▶ **Haus Alst** bei Horstmar, Münsterland, Westfalen. »Habt ihr die Mär gehört, wie Gott der Herr den ersten Münsterländer erschuf? Gebt acht, ich will's euch erzählen. Einstens gelangte der Herr auf Erden mit dem Jünger her ins münstersche Land, so meldet die Sage. Da fand er's ganz von Wäldern bedeckt, und als einz'ge Bewohner des Landes fand er Schweine, genährt von den Eicheln der Wälder. Da mahnte Christum der Jünger, er sollt' im Lande doch Menschen erschaffen. Christus schüttelt' das Haupt, doch als ihn drängte der Jünger, sprach er: ›So mag's denn sein; doch sieh zu, wie es abläuft!‹ Und dann stieß er gemach einen Eichklotz, der ihm im Weg lag, so mit dem Fuße nur an und sprach die gebietenden Worte: ›Eichklotz, werd' ein Mensch!‹ – Da erhob sich vom Boden der Eichklotz als ein trutziger Mann und schnaubte den gnädigen Schöpfer unwirsch an: ›Was stößest du mich?‹ Und das war der erste Münsterländer; bereits mit dem Schöpfer bei seiner Erschaffung hat er gezankt – nach ihm sind die anderen alle geartet!«

Soweit die münsterländische Version des Schöpfungsberichtes. Wenn sich nun sicher genug einfinden, die sagen, auf sie treffe das bestimmt nicht zu, so enthalten solche Volkssagen doch immer einen wahren Kern, und eine Landschaft prägt den Menschen, – und dieser wieder die Landschaft.

Fast jede Gemeinde in Westfalen hatte einen Herrensitz, viele sind wie Alst mit Wassergräben umgeben. Das Besondere an diesem sind die »Speklagen« aus roten Ziegeln und gelben Werksteinen. Sie verraten niederländische Einflüsse. Haus Alst, der Neubau, entstand seit 1624. Ein zweiter Flügel wurde um 1800 wieder abgebrochen.

▶ **Le manoir d'Alst** près d'Horstmar, Münsterland, Westphalie. Presque chaque commune en Westphalie avait un manoir et un grand nombre d'entre eux étaient, comme Alst, entourés de douves. La particularité de cette maison est l'alternance de briques rouges et de moellons jaunes qui trahit l'influence hollandaise. Le manoir d'Alst a été construit sous sa forme actuelle au début du 17ᵉ siècle mais la deuxième aile a été redémolie vers 1800.

▶ **Alst House** near Horstmar, Münsterland, Westphalia. Nearly every community in Westphalia has its own great house or palace, many of which, like Alst, are moated. The special features of this house are the alternating bands of red brick and yellow ashlars. They reveal a Dutch influence. Alst House was built in its present form at the beginning of the 17ᵗʰ century, but the second wing was demolished again in about 1800.

◀ **Korffsches Schloß,** Harkotten, Westfalen. Es war einmal ein Vater, der hatte zwei Söhne. Und als der Vater starb, teilten sich die beiden Söhne seinen Besitz. Der ältere erhielt die östliche Hälfte der Burg, der jüngere die westliche . . . So fängt die Geschichte von Harkotten an, im 14. Jahrhundert. Die Häuser, die sich ihre Nachfolger anstelle der mittelalterlichen Burg erbauen ließen, stehen eng beieinander, die mittelalterliche Einfahrt ist noch gemeinsam, ansonsten wenden sie sich den Rücken zu. Jedes hat seine eigene Auffahrtsallee, seine eigene Blickschneise und seinen Park. Aber herrschaftlich bewohnt ist nur noch dieses, von den Nachkommen des jüngeren Sohnes von Ritter Heinrich von Korf errichtete Schloß. Adolf von Vagedes entwarf es nach dem Vorbild von Schloß Wörlitz bei Dessau im klassizistischen Stil (1805/06).

◀ **Château de Korff,** Harkotten, Westphalie. Adolf von Vagedes conçut ce château dans le style classique au début du siècle dernier pour les barons de Korff. D'après le modèle du château construit dans le style des débuts du classicisme à Wörlitz près de Dessau.

◀ **Korff Palace,** Harkotten, Westphalia. The palace was designed in Classicist style by Adolf von Vagedes for the Korff family at the beginning of last century. The design was based on that of the very early Classicist palace in Wörlitz near Dessau.

▶ **Schloß Nordkirchen,** Münsterland, Westfalen. Die Bäume verbergen es solange wie möglich, damit die Überraschung perfekt ist, wenn wir inmitten der bäuerlichen Landschaft unvermutet mit dieser Barockresidenz großen Stils konfrontiert sind. Wir erhaschen einen Blick Versailles, können noch etwas von der Wirkung erahnen, die solche herrschaftlichen Anlagen ausgestrahlt haben, als sie noch von barockem Leben erfüllt waren. Der Erbauer, Friedrich Christian von Plettenberg, Fürstbischof von Münster, gehörte zu einer der reichsten Familien im westfälischen Raum. Nordkirchen war keine offizielle Residenz des münsterischen Fürstbischofs, wie z. B. Ahaus, sondern ganz aus Plettenbergs Privatschatulle finanziert, für die Familie. 1703 begannen die Bauarbeiten nach Plänen von Gottfried Laurenz Pictorius. Johann Conrad Schlaun veränderte und vollendete (seit 1725). Die alte Wasserburg an dieser Stelle mußte ganz dem Neuen weichen.
Nach Friedrich Christian von Plettenberg residierte sein Neffe Ferdinand in Nordkirchen. Er stieg unter Clemens August, dem Kurfürsten und Erzbischof von Köln, zum Minister und in den Reichsgrafenstand auf und hatte maßgeblichen Einfluß auf die Politik Clemens Augusts. Doch ebenso jäh wie sein Aufstieg war sein Sturz. Ein Verwandter tötete 1733 im Duell den besten Freund von Clemens August, den Deutschordenskomtur Roll. Der Kurfürst legte Plettenberg diesen Tod zur Last und verbannte ihn vom Bonner Hofe, ließ Nordkirchen sogar militärisch besetzen. Wenige Jahre danach starb Plettenberg in Wien.
Heute befindet sich in Schloß Nordkirchen die Finanzschule des Landes Nordrhein-Westfalen.

▶ **Château de Nordkirchen,** Münsterland, Westphalie. La surprise est totale lorsque l'on découvre, sans s'y attendre, au milieu d'un paysage champêtre cette demeure baroque de grand style qui mérite bien le qualificatif de «Versailles du Münsterland» qu'on lui a donné. Le prince évêque de Münster, Friedrich Christian von Plettenberg l'a fait construire en 1703 à l'emplacement d'un ancien castel d'eau.

▶ **Nordkirchen Palace,** Münsterland, Westphalia. It is a considerable surprise to come across this Baroque palace on the grand scale in the middle of such a rural landscape. Not for nothing is it called the "Versailles of Münsterland". The Prince Bishop of Münster, Friedrich Christian von Plettenberg, had it built in 1703 in place of the old moated castle that previously occupied the site.

Schloß Darfeld, Münsterland, Westfalen. Jobst von Vörden bestellt sich im Jahre 1612 ein »zierliches, beständiges, künstlerisches Bauwerk«. Und immer noch seitdem spiegeln sich die inzwischen alt gewordenen Mauern im Wasser. Die Bäume treiben ihre Schattenspiele mit Licht und Haus, und im schönen, arkadengesäumten Innenhof rankt Efeu an den Säulen. Schmückt diese auf seine Weise, wie der Steinmetz die Wände seinerzeit mit Ornamenten überzog.

Biographische Daten: Architekt Gerhard Gröninger aus der »Horster Schule« – Bauzeit 1612 bis 1616 – seit 1690 bis heute im Besitz der Droste zu Vischering.

Wenn in Darfeld das letzte Fuder Getreide gedroschen wird, heißt es: »Nun geht's an den Stoppelhahn!« Was soviel bedeutet, daß es dann Branntwein gibt. Denn nach altem Brauch brechen die Knechte beim letzten Fuder einen Nußstrauch ab und stecken ihn auf dasselbe. So viele Nüsse daran sind, so viel Glas Schnaps gibt's. Dieser Nußstrauch heißt Stoppelhahn. Und der Brauch hat sich bis in unsere Zeit erhalten.

Château de Darfeld, Münsterland, Westphalie. Le château, qui se reflète dans l'eau et qu'ombragent les vieux arbres du parc, a été construit en 1612. Depuis la fin du 17e siècle, il appartient à la famille Droste zu Vischering.

Darfeld Palace, Münsterland, Westphalia. The palace, reflected in the water, its walls shaded by ancient trees, was built in 1612. It has belonged to the Droste zu Vischering family since the end of the 17th century.

◀ **Haus Assen,** Lippetal, Westfalen. Derselbe Bauherr, derselbe Baumeister, dieselbe Zeit wie Hovestadt: Für die Familie von Ketteler erbaut Laurenz von Brachum 1564 Haus Assen, eine Vierflügelanlage, von der aber nur noch drei erhalten sind. Der Grundriß ist unregelmäßig, da Teile der alten Burg, so auch der mittelalterliche Rundturm, in den Neubau eingehen. Wie in Hovestadt reiche Fassadengliederung durch Backsteinornamente.
1653 geht Assen durch Kauf in die Hand der Familie von Galen über, wird deren Hauptsitz und ist auch heute noch in ihrem Besitz. Bruder des neuen Besitzers war Fürstbischof von Münster, Christoph Bernhard von Galen, den die Niederländer wegen seiner Streitbarkeit und seinen Kanonen »Bombamberend« nannten. Auch Clemens August Kardinal von Galen, in unserem Jahrhundert durch seine eigenständige Kirchenpolitik im Dritten Reich bekanntgeworden, ist Sohn eines Besitzers von Assen.

◀ **Manoir d'Assen,** Lippetal, Westphalie. Comme Hovestadt, le manoir d'Assen fut également construit pour la famille Ketteler par Laurenz von Brachum en 1564. La tour ronde et d'autres parties de l'ancien château médiéval furent incorporées dans le nouvel édifice. Façade richement structurée par des ornements en brique comme à Hovestadt.

◀ **Assen House,** Lippetal, Westphalia. Like Hovestadt, Assen House was also built by Laurenz von Brachum for the Ketteler family (in 1564). The round tower and other parts of the former medieval castle were included in the new building. A richly articulated facade, as in Hovestadt.

▶ **Hovestadt,** Lippetal, Westfalen. Ganz zögernd nur setzt sich die Renaissance in Westfalen an den Häusern fest. Die Kunsthandwerker versuchen sich in den neuen Stilformen erst an Wappensteinen, Kaminen, Möbeln und außen zuerst am Giebel. Neue Maßstäbe setzt hier Schloß Horst, das in der Folgezeit eine ganze Reihe von Schloßbauten beeinflußt, so daß man geradezu von der »Horster Schule« sprechen kann. Ein fähiger Baumeister, Laurenz von Brachum, sorgt für die Verbreitung. Hovestadt ist sein zweites Schloß, 1563 begonnen. Ein Jahr später folgt Haus Assen. Ein krauses Backsteinornament überzieht die Hauptfront der zweiflügeligen Anlage. Wo die beiden Flügel zusammenstoßen, steht ein kräftiger Eckturm. Ursprünglich war wohl eine Vierflügelanlage geplant. An dieser Stelle befand sich seit dem 13. Jahrhundert eine Landesburg der Kölner Erzbischöfe, die 1560 in den Besitz der Familie von Ketteler kommt. Nur drei Jahre später wird der Neubau in Angriff genommen. Ein Besitzwechsel im 18. Jahrhundert an die Grafen von Plettenberg-Lenhausen bringt nochmals bauliche Veränderungen (1733) und eine neue Vorburg von Johann Conrad Schlaun.

▶ **Hovestadt,** Lippetal, Westphalie. Le style Renaissance s'est répandu dans les régions de la Weser et de la Lippe après la construction du château de Horst. Hovestadt, le second château du talentueux architecte Laurenz von Brachum, qui faisait également partie de «l'école de Horst», a été édifié de 1563 à 1572. A l'endroit où se trouvait un ancien château des archevêques de Cologne.

▶ **Hovestadt,** Lippetal, Westphalia. The Renaissance style spread throughout the Lippe and Weser regions after the building of Horst Palace. Hovestadt, the second palace built by the capable architect Laurenz von Brachum, who also belonged to the "Horst school", was built in 1563—1572. It replaced a former castle of the Archbishops of Cologne.

◀ **Schloß Schwarzenraben** bei Lippstadt, Westfalen. Der Kurfürst Clemens August von Köln ist ja bekannt für seine Jagdleidenschaft. Einen Querschläger auf den Herrn von Hörde macht er großzügig wieder gut. Er läßt ihm ein neues Schloß bauen (1765–1768, von Johann Matthias Kitz), ein kleines, aber schönes barockes Wasserschloß. Die Vorgebäude, auch prächtig, bezahlt der Gutsherr allerdings aus eigener Tasche.
1934, jetzt im Besitz der Freiherren von Ketteler, brennt es in Schwarzenraben. Man restauriert – auch den komplizierten Rokokostuck – und ergänzt die Einrichtung aus den Kettelerschen Schlössern Harkotten und Eringerfeld. Ein besonderes Schmuckstück ist die Schloßkapelle, ausgestattet in Weiß und Gold. Die Herrschaft betet in einer Loge auf elegant bezogenen Louis-XVI-Sesseln.

◀ **Château de Schwarzenraben** près de Lippstadt, Westphalie. L'archevêque de Cologne et prince électeur Clemens August fit construire de 1765 à 1768 un ravissant petit castel d'eau dont il fit présent à Herr von Hörde en dédommagement d'une blessure qu'il lui avait infligée au cours d'une partie de chasse. La chapelle du château est particulièrement jolie, en blanc et or; la loge des châtelains est meublée d'élégants fauteuils Louis XVI.

◀ **Schwarzenraben Palace,** near Lippstadt, Westphalia. The Archbishop and Elector of Cologne, a passionate huntsman, had Schwarzenraben, a beautiful, compact moated palace, built in 1765 to 1768 and presented it to a Herr von Hörde, as compensation for his having been injured in a hunting accident. A particularly choice feature is the palace chapel, in white and gold, the box for the owners elegantly fitted out with Louis XVIth armchairs.

▶ **Schloß Eringerfeld,** Westfalen. Das ist die Kehrseite. Die Gartenfront. Auf der Schauseite, am Hauptportal, hatte das Schloß den Blick des Ankommenden zu fesseln, zu lenken. Erst auf sein Portal (wobei ihm eine Schutzmauer hilft, dem Neugierigen nicht schon alles von weitem zu verraten), dann auf sein gewichtiges Torhaus und im Schloßhof geradewegs auf das Herrenhaus. Mit seiner Mitte sagt es gleichsam: Hier bin ich also. Denn nur hier ist es geschmückt. Die Überraschung ist gewollt, ein Mittelrisalit in Westfalen ist eine architektonische Neuheit. Obendrauf sitzt ein schön gegliederter, zweistöckiger Volutengiebel.
Aber hier auf der Kehrseite kann das Schloß selber Ausschau halten, in den Garten, in die Landschaft. Die starken Eckpavillons haben es in ihre Mitte genommen. Über den Graben, aus dessen Füllung – Bruchsteine – es selber fast ganz besteht, führt eine Brückentreppe durch ein Portal in den Garten.
Erbaut wurde Schloß Eringerfeld in der Zeit von 1676 bis 1690. Bauherren: Familie von Hörde, die auch in Schloß Schwarzenraben sitzt. Baumeister: Ambrosius von Oelde, der auch Schloß Ahaus gebaut hat. Er hat sich viele Ideen in Frankreich geholt und auf westfälisches Maß zurechtgeschnitten. Das Schloß kam nach Aussterben der Familie von Hörde auf dem Erbwege an die Freiherren von Ketteler, die es an die Jesuiten vermieteten.

▶ **Château d'Eringerfeld,** Westphalie. La configuration du terrain n'ayant pas permis la construction d'une allée de style baroque, le visiteur accède par une allée latérale au château dont la vue lui est cachée par un mur de protection. Ce n'est qu'au portail qu'il se rend compte de l'importance de l'édifice avec son imposant corps de garde et le logis du châtelain. Le château a été construit de 1676 à 1690 par l'architecte Ambrosius von Oelde qui adapta le modèle français aux conditions westphaliennes.

▶ **Eringerfeld Palace,** Westphalia. As the terrain did not permit the construction of a long drive in the Baroque style, the visitor approaches from the side, a view of the palace denied him by a protective wall. Not until he reaches the gate can he take in the grandeur of the complex: the portal, the great gatehouse, and the palace itself. The architect was Ambrosius von Oelde, who adapted French ideas to Westphalian conditions. The building was done between 1676 and 1690.

▶▶ **Schloß Holte** bei Liemke, Westfalen. Was an der Eingangsseite dem Besucher fast abweisend, jedenfalls deutlich abwehrbereit entgegentritt: drei Türme dichtgedrängt nebeneinander, gibt sich hier auf der Rückseite wesentlich ruhiger und gelassener. Lediglich drei Giebel und drei Turmspitzen weisen auf die Dreiteilung hin.
Die jagenden Grafen von Rietberg hatten hier im 16. Jahrhundert ein festes Haus. Ihre Nachfolger in der Standesherrschaft Rietberg, die Grafen von Ostfriesland, führten um 1616 einen Neubau auf und verstärkten ihn später erst mit den drei Türmen. 1822 kommt F. L. Tenge und kauft alles auf: Rietberg, Gut Barkhausen und Schloß Holte. Hier richtet er 1839/40 eine Eisenhütte und eine Gießerei ein (letztere war noch bis vor wenigen Jahren in Betrieb). Während Tenges Schwiegersohn Julius Meyer Schloß Holte zu einem Treffpunkt demokratischer Linker macht, zu denen auch Marx und Engels in Verbindung stehen, und während Tenge selber Gut Barkhausen zu einem westfälischen »Hof von Ferrara« macht (Freiligrath und Hoffmann von Fallersleben), zwingen im Jahre 1848 die Rietberger Abgabepflichtigen Tenge zu einem Nachlaß ihrer Abgaben. Schloß Holte ist auch heute noch im Besitz der Familie Tenge.

▶▶ **Château de Holte** près de Liemke, Westphalie. Le château, construit vers 1616 par les comtes de Frise orientale, est vendu en 1822 à F. L. Tenge qui installe une fonderie à proximité du château. Le gendre de Tenge, Julius Meyer fit du château un lieu de rencontre pour les démocrates de gauche qui étaient également en relations avec Marx et Engels.

▶▶ **Holte Palace** near Liemke, Westphalia. Built in about 1616 by the Counts of East Frisia, the palace was sold to F. L. Tenge in 1822, who set up an ironworks and foundry nearby. Tenge's son-in-law, Julius Meyer, turned the palace into a meeting-place for left-wing democrats, whose contacts included Marx and Engels.

▶ **Wewelsburg** bei Büren, Westfalen. Ausgrabungen, schon im 16. Jahrhundert und in unserem, brachten keine Gewißheit über die Befestigung auf dem Bergsporn, der hier das Almetal überragt; die landschaftlichen Besonderheiten, Wälle und Gräben lassen eine Wallburg vermuten. Sicher dagegen weiß man, daß 1123 der Stiftsvogt des Bistums Paderborn, Graf Friedrich von Arnsberg, die Landbevölkerung zum Bau einer neuen Befestigungsanlage antrieb. Als er ein Jahr später starb, zerstörten die Bauern wieder, was sie soeben aufgebaut hatten. Eine Burg an derselben Stelle gelangt 1301 in den Besitz des Paderborner Bischofs, wird aber in der Folgezeit häufig verpfändet, so daß zum Beispiel im Jahre 1362 gleich drei verschiedene Herren sich die Burg aufteilen. 1589 konnte der Fürstbischof Dietrich von Fürstenberg alle Pfandschaften wieder einlösen. Gerade rechtzeitig, denn in den Auseinandersetzungen mit den aufmüpfigen Paderborner Bürgern, in deren Verlauf der Bischof die Stadt besetzen und den Bürgermeister hinrichten ließ, bot sich die Wewelsburg als sichere Residenz an. In nur drei Jahren (1604 bis 1607) stand der Neubau. Seiner sicher, läßt der Bauherr über dem Portal verkünden: Multi quaerent intrare et non poterunt – viele wollen eintreten, können aber nicht.

In ihrer weiteren Geschichte wurde der Wewelsburg übel mitgespielt. Kriegsschäden und Verfall, Wiederherstellungen, einschneidende bauliche Veränderungen durch die SS, die sie bei ihrem Rückzug durch Brand zu zerstören suchte. Heute ist sie wieder restauriert und dient als Jugendherberge und Heimatmuseum.

Angepaßt an die Spornlage, bildet die Anlage ein gleichschenkliges Dreieck. Die Nordspitze markiert der mächtige Turm mit über zwanzig Meter Durchmesser. An den beiden anderen Spitzen stehen Rundtürme mit geschweiften Hauben, auch elf Meter im Durchmesser. Eine solche dreieckige Anlage ist in ganz Europa eine Seltenheit. Möglicherweise war es die Idee des baufreudigen Bauherrn selber.

▶ **Wewelsburg** près de Büren, Westphalie. Le château occupe une position dominante sur un éperon de la montagne au-dessus de la vallée de l'Alme. Les fossés et les remparts permettent de penser qu'une ancienne forteresse saxonne se trouvait à cet endroit. L'édifice actuel – un triangle équilatéral avec d'imposantes tours d'angle rondes – a été construit en 1604 par le prince évêque de Paderborn, Dietrich von Fürstenberg. Le plan de forme triangulaire est extrêmement rare en Europe.

▶ **Wewelsburg** near Büren, Westphalia. The castle occupies an imposing position on a mountain spur above the Alme Valley. Ditches and earthen ramparts suggest that an early Saxon fortress once occupied the site. The present building – an equilateral triangle with great round towers at the corners – was built in 1604 by Prince Bishop Dietrich von Fürstenberg of Paderborn. The triangular ground plan is extremely rare in Europe.

▶ **Schloß Berleburg,** Rothaargebirge, Westfalen. Schloß-anlagen wie diese sperren sich gegen eine einfache Beschreibung, der frühere Chronist hat es noch einfacher gehabt: »Graf Johann hat die Berleburg eingenommen, hat nicht viel Gebäude gefunden, ist ein Jagdhaus gewesen. Hat angefangen, das hölzerne Haus, Marstall, Schmiede, Backhaus zu bauen.« Das war im Jahre 1506, als nach einer Teilung der Grafschaft Sayn-Wittgenstein Graf Johann eine neue Linie Berleburg begründete, Stadt und Burg somit gräfliche Residenz wurden. Was in diesem Jahrhundert durch Erweiterung des alten Bestandes entstand, haben wir hier im Bild vor Augen. Rechts der »Rote Turm«, zu dieser Zeit über eine Zugbrücke einziger Zugang zum Schloß. Neben dem Turm, an den Strebepfeilern leicht erkennbar, die Schloßkapelle.
Eine zweite Bauperiode im 18. Jahrhundert unter Graf Casimir brachte einschneidende Veränderungen für die gesamte Anlage. Der Schloßherr konnte vermutlich den unter anderem von Schloß Arolsen bekannten Architekten Johann Ludwig Rothweil für die Planung gewinnen. Kosten für die Bauarbeiten und die Innenausstattung (1733–1739): 34 739 Reichstaler.
Das ist nicht alles, was dieser Graf hinterlassen hat und was es in Berleburg zu sehen gibt: Seine Bibliothek zählte im Jahre 1735 1 473 Bücher, darunter eine Luxusausgabe der »Berleburger Bibel«, einer Bibelübersetzung mit Kommentar in acht Bänden von ihm selber. (Dazu muß man wissen, daß sich die Grafschaft Sayn-Wittgenstein zum Calvinismus bekannte und allen möglichen religiösen Sektierern Zuflucht bot.) Außerdem sammelte Graf Casimir auch noch Münzen, Geweihe und Ahnenbilder.

▶ **Château de Berleburg,** dans les monts Rothaar, Westphalie. La photo montre ce qui a été construit au 16e siècle lors de l'agrandissement de l'ancien château. A l'époque, la «tour rouge» (à droite) était par un pont-levis le seul accès au château. Au 18e siècle, le comte Casimir ajouta une nouvelle aile avec la façade et l'entrée principales. Avec son château, le comte a également laissé à ses héritiers d'importantes collections: une bibliothèque, des andouillers, des monnaies et une galerie de portraits.

▶ **Berleburg Palace,** Rothaar Mountains, Westphalia. The picture shows what was built in the 16th century when the old castle was extended. At that time the "Red Tower" (right), approached by drawbridge, provided the only access to the castle. Count Casimir added a new wing with main front and main entrance in the 18th century. The Count was a keen collector, and left his heirs a fine library, collections of antlers, and coins, and a portrait gallery.

▶▶ **Herrenhaus Borlinghausen** am Eggegebirge, Westfalen. Wasser, Brücke, Haus – nicht weniger als dreitausend solcher Adelssitze hat es in Westfalen gegeben, und bis in unsere Zeit sind noch an die hundert von den Nachkommen der Begründer bewohnt oder seit Jahrhunderten in der Hand ein und derselben Familie. Das läßt auf Beharrlichkeit, auf Tradition schließen.
Gewiß, die Zeiten ändern sich. Das Haus soll größer werden, gefallen, den Ansprüchen seiner Herren genügen, also nimmt das spätgotische Haus eine zweiflügelige Form an. Es schweift jetzt seine Giebel nach niederländischer Manier, das Barock hinterläßt seine Spuren, das 19. Jahrhundert. Zudem Wind und Wetter. Aber in seinem Kern ist es immer noch spätgotisch, und es hat immer auf demselben Fleck gestanden. Hat jeden gesehen, der über die Brücke kam und ging, hat auch alles gesehen, was sich in seinem Innern abgespielt hat, in den Räumen, auf Gängen und Treppen. Wir möchten das auch alles wissen, nicht nur Baujahr, Architekt, Umbaudaten. Doch ein solches Haus ist über ungeduldige Neugier erhaben. Anders denn als stummer Zeuge der Geschichte wäre so ein Haus-Leben über Jahrhunderte wohl auch gar nicht auszuhalten . . .

▶▶ **Manoir de Borlinghausen,** Westphalie. Ce genre de résidence seigneuriale abondait en Westphalie et aujourd'hui encore près d'une centaine de ces manoirs sont habités par les descendants de leurs fondateurs ou depuis des siècles par la même famille. Une partie a disparu, une autre a été reconvertie. Borlinghausen a deux ailes. Les pignons ouvragés témoignent de l'influence hollandaise. La principale période de sa construction se situe entre 1587 et 1593.

▶▶ **Borlinghausen Manor,** Westphalia. There were many such manor houses in Westphalia, and even in our time nearly a hundred of them are still occupied by the descendants of the original founders or have been lived in for centuries by the same family. Some have disappeared, others have been converted to different purposes. Borlinghausen has two wings. The shaped gables suggest Dutch influence. It was built mainly between 1587 and 1593.

Verschönerung der Mutter Erde

Manche Blütenträume der Aufklärung waren unterdessen auch in den deutschen Gärten und Parks aufgegangen. Rousseaus Devise »Zurück zur Natur« fand hier fruchtbarsten Boden. Hatten die Engländer schon seit der ersten Hälfte des 18. Jahrhunderts immer mehr Geschmack an malerischen Landschaftsgärten mit sanft geschwungenen Wegen, weiten Rasenflächen und natürlich gewachsenen Baumgruppen gefunden, die zudem längst nicht so aufwendig waren wie die französischen Parkanlagen, so gab man nun auch auf dem Kontinent dem die Grenzen zur Landschaft verwischenden Garten den Vorzug. Anstatt die Natur zu unterwerfen, wollte man sich ihr hingeben. Seit dieser großen »Gartenrevolution« wurden viele ältere Schloßparks in englische Gärten umgewandelt, andere durch solche erweitert. Beispielhaft hat derartige Verquickungen Friedrich Ludwig von Sckell in Schwetzingen und später in Nymphenburg ausgeführt, wobei er das französische Parterre jeweils unangetastet ließ.

Schon zu Zeiten des Barock und Rokoko hatte es wunderhübsche, oft sehr verspielte Gartenbauten gegeben, Orangerien, Lust- und Badhäuser, Grotten. Glanzstücke dieses Genres sind die von Joseph Effner und François Cuvilliés geschaffenen, der Lust, der Jagd, dem Bade und der religiösen Einkehr dienenden kleinen Schlößchen im Park von Nymphenburg. Die im Jahre 1774 entstandenen »Englischen Anlagen von Hohenheim« bei Stuttgart beschreibt ein zeitgenössischer Gartenkalender: »In Trümmern altrömischer Ge-

L'embellissement de la mère nature

Certains rêves fleuris du siècle des lumières s'étaient entretemps également épanouis dans les jardins et les parcs d'Allemagne. La devise de Rousseau du «retour à la nature» y trouvait un sol des plus fertiles. Si, dès la première moitié du XVIIIe siècle, les Anglais avaient déjà pris de plus en plus goût aux jardins paysages pittoresques aux chemins serpentants, aux immenses étendues de gazon agrémenté de bouquets d'arbres poussant naturellement et qui, de surcroît, n'étaient de loin pas aussi coûteux que les parcs à la française, sur le continent également on se mit à préférer les jardins qui se fondaient dans le paysage. Au lieu de dompter la nature, on voulait s'y abandonner. A la suite de cette grande «révolution des jardins», de nombreux parcs et un grand nombre d'anciens parcs de châteaux furent transformés en jardins anglais ou agrandis par des jardins anglais. Friedrich Ludwig von Sckell aménagea de façon exemplaire ce genre d'alliance à Schwetzingen puis au château de Nymphenburg à Munich tout en conservant le parterre à la française.

Déjà à l'époque du baroque et du rococo, il y avait de merveilleux jardins souvent au tracé très capricieux avec des orangeries, des pavillons de plaisance et de bains, des grottes. Les petits pavillons du parc de Nymphenburg créés par Joseph Effner et François de Cuvilliés et consacrés au plaisir, à la chasse, au bain et au recueillement spirituel sont des merveilles du genre. Le «jardin anglais de Hohenheim» près de Stuttgart, aménagé en 1774, est décrit de la façon suivante par un almanach horticole de l'époque: «Dans les ruines d'an-

Improving Mother Earth

A number of the tender plants of the Enlightenment had in the meantime also been successfully planted in the German gardens and parks, where Rousseau's "back to Nature" concept fell on extremely fruitful soil. Since the first half of the 18th century the English had increasingly developed the idea of a picturesque landscaped garden, with gently curving paths, large expanses of lawn, and natural-looking groups of trees, which had the further advantage of being cheaper to run than the French style of garden; now the Continent also began to give preference to this kind of garden in which the transition to the surrounding contryside was almost imperceptible. The idea was no longer to subjugate Nature, but to surrender to it. Once this "garden revolution" began, many older palace parks were transformed into "English" gardens, others were extended to include sections in the new style. Such combinations were brilliantly carried out by Friedrich Ludwig von Sckell in Schwetzingen and later in Nymphenburg, leaving the French paterre untouched.

There had already been beautiful, often very fanciful, garden buildings in the Baroque and Rococo periods; orangeries, pavilions, bathing houses, grottoes. Showpieces of this genre were created by Joseph Effner and François Cuvilliés, who built a pavilion, a hunting lodge, a bathing pavilion, and a hermitage in the Nymphenburg park. A contemporary garden calendar describes the "English Gardens of Hohenheim", which were laid out in 1774 near Stuttgart: "In the ruins of Classical Roman buildings, decorated rooms,

bäude stehen gezierte Saele, Cabinetter, Baeder, Grotten, Höhlen, Lust- und Gartenhäuschen und laendliche Hütten, die mit dem noethigsten Hausgeraeth und Werkzeugen versehen sind. An jede Haushaltung stößt ein Gaertchen, ein Wald, eine Wiese und Aker; sie sind mit den verschiedensten Kraeutern und Früchten Wirtembergs und mit vielen auslaendischen Gewaechsen und Stauden bepflanzt.«

Jetzt schossen nur noch mehr Pagoden, Moscheen, künstliche Ruinen, Pavillons und die besonders beliebten Monopteren, kleine Rundtempelchen, aus den herrschaftlichen Böden. Aus solchen Gartenbauten, nicht zuletzt aus deren englisch-palladianischen Vorbildern, bezogen die frühklassizistische und die romantische Schlösserarchitektur starke Impulse. So entstand zum Beispiel auf der Berliner Pfaueninsel das Paradoxon einer bewohnbaren Schloßruine, geschaffen für König Friedrich Wilhelm II. auf Veranlassung seiner Geliebten Wilhelmine Enke, der späteren Gräfin Lichtenau.

Einer der ältesten und schönsten englischen Gärten Deutschlands ist der Wörlitzer Park des Fürsten Leopold Friedrich Franz von Anhalt-Dessau, der sich auf ausgedehnten Reisen in Begleitung seines Architekten und seines Gärtners mit dem natürlichen Gartenstil der Engländer vertraut gemacht hatte. Er umfängt einen langen See mit idyllischen kleinen Buchten, Seearmen, Kanälen und Inseln, bietet antiken Hermen, Sarkophagen, Höhlen, Tempeln, Hängebrücken und Einsiedeleien lauschige Plätzchen. Goethe rühmte ihn in einem Brief an Frau von Stein: »Hier ist's jetzt unendlich schön, mich hat's gestern abend, als wir durch die Seen, Canäle und Wäldgen schlichen, sehr gerührt, wie die Götter dem Fürsten erlaubt haben, einen Traum um sich herum zu schaffen. Es ist, wenn man so durchzieht, wie ein Mährgen, das einem vorgetragen wird und hat ganz den Charakter der Elisischen Felder, in der sachtesten Mannigfaltigkeit fließt eins ins andere, keine Höhe zieht das Aug' und das Verlangen an einen einzigen Punkt, man streicht herum, ohne zu fragen, wo man ausgegangen ist und hinkommt. Das Buschwerk ist in seiner schönsten Jugend, und das Ganze hat reinste Lieblichkeit.«

Den berühmtesten deutschen Landschaftsgarten des 19. Jahrhunderts hat Fürst Pückler-

ciens édifices romains, il y a des salles décorées, des cabinets, des bains, des grottes, des cavernes, des petits pavillons de plaisance et de jardin et des huttes champêtres qui sont équipés de tout le mobilier et ustensiles nécessaires. Chaque maison donne sur un petit jardin, un bois, un pré, un champ; ils sont plantés d'herbes et de fruits les plus divers du Wurtemberg et de nombreuses plantes et arbustes exotiques.»

A présent, les pagodes, mosquées, ruines artificielles, pavillons et les monoptères – de petits temples circulaires – particulièrement en vogue, jaillissent en plus grand nombre encore du sol. L'architecture des châteaux du début de l'époque classique et celle de l'époque romantique s'inspire fortement de ces édifices de jardin et enfin des modèles anglais et palladiens. C'est ainsi par exemple qu'à Berlin, dans l'île aux paons, on construit un édifice paradoxal, des ruines de château habitables, pour le roi Frédéric-Guillaume II, à la demande de sa favorite, Wilhelmine Enke, la future duchesse de Lichtenau.

Un des plus anciens et des plus beaux jardins anglais d'Allemagne est le parc du château de Wörlitz du prince Leopold Friedrich Franz von Anhalt-Dessau qui, au cours de nombreux voyages en compagnie de son architecte et de son jardinier, s'était familiarisé avec le style de jardin naturel des Anglais. Il renferme un lac avec de petites anses idylliques, il est traversé par des bras morts de l'Elbe, des canaux, et parsemé d'îles et offre des coins tranquilles à des colonnes antiques, des sarcophages, grottes, temples, ponts suspendus et ermitages. Goethe a vanté ses charmes dans une lettre à Madame von Stein: «Ici tout est à présent d'une beauté infinie et quand nous nous sommes glissés un soir au milieu des lacs, des canaux et des bosquets, j'ai été très touché de voir que les dieux avaient permis au prince de réaliser ce rêve autour de lui. Quand on le traverse, c'est comme un conte que l'on vous présenterait et il a tout a fait le caractère des champs Elysées, dans la plus douce diversité tout se fond et aucune hauteur n'attire l'œil ou le désir d'un point unique, on flâne sans demander d'où l'on est venu et où l'on va. Les buissons sont dans leur plus belle jeunesse et l'ensemble est du plus pur charme.»

Le plus célèbre parc à l'anglaise du XIXe siècle en Allemagne a été tracé par le prince Pückler-Muskau, un ami de Schinkel, sur les

cabinets, baths, grottoes, caves, pavilions, and rural huts have been built, equipped with the essential household implements and tools; each of the houses is surrounded by a garden, a piece of woodland, a meadow, and a field; they are planted with a wide variety of vegetables and fruits from Württemberg and with many foreign plants and bushes."

Now pagodas, mosques, artificial ruins, pavilions, and the particularly popular monopteroses (little round temples) popped up everywhere in the palace gardens. Such garden buildings, and also their English-Palladian models, provided strong impulses for the early Classicist and Romantic palace buildings. Thus, on Peacock Island in Berlin, a paradoxical "inhabitable ruin" was built for King Friedrich Wilhelm II at the behest of his mistress, Wilhelmine Enke, later Countess Lichtenau.

One of the oldest and finest of the English gardens in Germany is Wörlitz Park, made for Prince Leopold Friedrich Franz von Anhalt-Dessau, who had familiarized himself with the natural English style in the course of extensive travels, accompanied by his architect and his gardener. It includes a long lake with idyllic little bays, inlets, canals, and islands, and provides pleasant spots for antique herms, sarchophagi, caves, temples, suspension bridges, and hermitages. Goethe praised it in a letter to Frau von Stein: "It is infinitely lovely here, and I was very moved yesterday evening as we crossed the lakes and canals, and strolled through the glades, to think how the gods have permitted the prince to create a dream around himself. Walking through the park in this way is like having a fairytale told to one; the park quite resembles the Elysian fields, the scenes merge into one another in the gentlest manner, no height attracts the eye or stimulates a desire to go to a particular spot; one strolls about without asking where one started and where one will end. The shrubberies are in the prime of their youth, and the whole thing is utterly charming."

The most famous German landscape garden of the 19th century was made for Prince Pückler-Muskau, a friend of Schinkel, on the banks of the Neisse. His "Notes on Landscape Gardening" of 1834 attracted a great deal of attention. Even Napoleon III asked for his advice. The prince's gardening ambition was to "make a concentrate of the natural land-

Muskau, ein Freund Schinkels, an den Ufern der Neiße angelegt. Seine 1834 veröffentlichten »Andeutungen über Landschaftsgärtnerei« erfuhren weithin größte Aufmerksamkeit, selbst Napoleon III. suchte seinen Rat. Des Fürsten gärtnerischer Ehrgeiz ging dahin, »aus dem Ganzen der landschaftlichen Natur ein konzentriertes Bild, eine solche Natur im kleinen als poetisches Ideal zu schaffen«. Sein 550 Hektar umfassender, hochromantischer Park, in dem neben den Spuren englischer Gartenkünstler auch jene von Schinkel erkennbar sind, sollte »einer allgemeinen Verschönerung der Mutter Erde dienen«. Das verschlang ein Vermögen. Als seine Mittel erschöpft waren, hoffte der Fürst, durch eine reiche Partie in England das finanzielle Fiasko noch abwenden zu können. Er vereinbarte mit seiner einsichtsvollen Gemahlin die Scheidung, doch seine Pläne zerschlugen sich. So konnte er zwar seine Exfrau behalten, doch der Muskauer Besitz war dahin.

Dank seiner feinen Beobachtungsgabe und seines geistreich ironischen Stils hat sich der große »Parkomane« auch als Reiseschriftsteller hohes Ansehen verschafft. Einmal schildert er einen Besuch der ziemlich verwahrlosten, vom »Wind mit schauerlichem Geräusch durchsausten« Stammburg des Hauses Hohenzollern auf der Schwäbischen Alb. Deren Wiederaufbau in neugotischem Stil hat dann bald darauf der Kronprinz Wilhelm und spätere König Friedrich Wilhelm IV. beschlossen. Dieser Romantiker auf dem preußischen Thron, der selbst das Zeug zu einem Architekten von Rang in sich trug, war ein leidenschaftlicher Bewunderer der Gotik. Einst hatte ihn der Anblick des Kölner Doms in einen geradezu euphorischen Zustand versetzt: »Ich war Halali . . . . ich war entzückt, ganz hin«, schwärmte er. Durch Schinkel hat er auch Burg Stolzenfels am Rhein in neugotischem Stil wieder aufbauen lassen. Heute gilt dieses königliche Wohnschloß als der rheinischen Denkmalpflege liebstes Kind, zählt ebenso wie das von einem Schinkel-Schüler erbaute Familiendenkmal der Hohenzollern zu den ganz großen Touristenattraktionen. Noch in der zweiten Hälfte des letzten Jahrhunderts hat man große Schloßanlagen gebaut. Manche von ihnen wurden kaum bewohnt, dienten vornehmlich zur Demonstration der vermeintlich ungebrochenen Macht der Fürsten, die Ende des 18. Jahrhunderts

bords de la Neisse. Ses «indications sur les jardins à l'anglaise» publiées en 1834 suscitèrent le plus grand intérêt et même Napoléon III lui demanda conseil. L'ambition du prince en matière de jardins était de «donner de l'ensemble du paysage naturel une image concentrée, un modèle réduit comme idéal poétique». Son parc, des plus romantiques, qui couvre 550 hectares et où, à côté de l'influence des paysagistes anglais, on discerne également celle de Schinkel devait «servir à un embellissement général de la mère nature». Cela engloutit une fortune. Lorsque ses fonds furent épuisés, le prince pensa pouvoir éviter le fiasco financier en faisant un riche mariage en Angleterre. Il convint d'un divorce avec sa compréhensive épouse mais ses plans échouèrent. Il put certes garder son ex-épouse mais perdit sa propriété de Muskau. Grâce à son excellent don d'observation et son style ironique des plus spirituels, le grand «parcomane» s'est également rendu célèbre comme chroniqueur de voyages. Il décrit une fois une visite du château familial des Hohenzollern dans le Jura souabe, un château «où le vent soufflait avec un bruit affreux». Peu après le prince héritier Guillaume, qui allait devenir le roi Frédéric-Guillaume IV, décida de le reconstruire dans le style néo-gothique. Ce romantique sur le trône de Prusse, qui avait lui-même l'étoffe d'un grand architecte, était un admirateur passionné du gothique. La vue de la cathédrale de Cologne l'avait une fois mis dans un état quasiment euphorique: «J'étais émerveillé, tout à fait enthousiasmé» s'extasiait-il. Il a également fait reconstruire par Schinkel le château de Stolzenfels sur les bords du Rhin dans le style néo-gothique. Aujourd'hui cette demeure royale est entourée de la plus grande sollicitude par l'admiration rhénane de l'entretien des monuments et fait partie, comme le château de Hohenzollern édifié par un élève de Schinkel, des grandes attractions touristiques d'Allemagne.

Au cours de la deuxième moitié du dernier siècle, on a encore construit d'imposants châteaux. Certains d'entre eux ne furent guère habités et servirent principalement à démontrer le pouvoir soi-disant intact des princes, un pouvoir ébranlé pour la première fois à la fin du XVIIIᵉ siècle et encore une fois sérieusement compromis au milieu du XIXᵉ siècle. Cela s'applique en particulier aux construc-

scape, to create a miniature form of Nature as a poetic ideal". His 1,360 acre, highly romantic park, in which traces of both English landscape gardeners' work and of Schinkel's are to be found, was intended to bring about "a general improvement of Mother Earth". The project swallowed a fortune. When his resources were exhausted, the prince hoped to avoid financial ruin by marrying a rich Englishwoman. He arranged to divorce his understanding wife to this purpose, but the plan went awry. This meant that he was able to retain his ex-wife, but lost his Muskau estate.

Thanks to his talent for shrewd observation and his witty, ironical style, the great "parkomaniac" also achieved considerable renown as a writer of travel literature. At one point he describes a visit to the Swabian Uplands, to see the rather neglected ancestral castle of the Hohenzollern family, which was "swept throughout by howling winds", as he put it. Soon afterwards, Crown Prince Wilhelm, later King Friedrich Wilhelm IV, decided to have it rebuilt in neo-Gothic style. This Romanticist on the Prussian throne, who would himself have made a first-class architect, was a passionate admirer of the Gothic age. Once, the sight of Cologne Cathedral sent him off into raptures: "I was quite beside myself . . . I was absolutely delighted, quite overwhelmed," he enthused. He also had Stolzenfels Castle on the Rhine rebuilt in Gothic style by Schinkel. Today this royal residential castle is the favourite child of the conservation authorities in the Rhineland, and, together with the Hohenzollern family monument – built by a pupil of Schinkel – is one of the great tourist attractions.

Large palace complexes were still being built in the second half of the 19th century. Some of them were hardly used, being primarily intended as a demonstration of what the nobility liked to believe was its unwavering power, which had, however, been shaken for the first time at the end of the 18th century, and was again at risk in the middle of the 19th. This particularly applies to the building activities of King Ludwig II of Bavaria, who was already beginning to suffer from pathological delusions concerning his own kingship: the last royal Romantic was one of the greatest builders of palaces in the German-speaking regions.

erstmals erschüttert, Mitte des 19. Jahrhunderts abermals ziemlich gefährdet war. Das gilt im besonderen für die Bauten des von der eigenen Majestät schon krankhaft durchdrungenen Ludwig II. Der letzte königliche Romantiker war einer der größten Schlösserbauer in deutschen Landen.

Man hat die Architektur dieses Säkulums als »Maskenball der Stile« bespöttelt, hat sie als bloße Repetition der Architekturgeschichte kritisiert. In seiner kulturpessimistischen Analyse »Verlust der Mitte« kommt Hans Sedlmayr zu dem Schluß, das 19. Jahrhundert habe die alten Formen ihrer Inhalte beraubt, habe Verflachung mit sich gebracht, nach leeren Effekten gehascht. In jüngster Zeit werden die einst schwärmerisch bewunderten, später rundweg als Kitsch abgetanen Schlösser wieder etwas differenzierter beurteilt. Der Rückgriff auf ältere Stile, wie er ja schon in früheren Epochen etwa des Hellenismus oder der Renaissance durchaus legitim war, der Versuch, die damals aufflammende Begeisterung für die nationalen, geistigen und künstlerischen Strömungen des Mittelalters architektonisch umzusetzen, wird nicht mehr unreflektiert als Plagiat geschmäht. Hinz und Kunz haben diese Bauten immer gefallen. Zunehmend werden ihnen nun auch von Experten Anzeichen von Originalität und Bauphantasie attestiert.

tions du roi Louis II de Bavière déjà maladivement imbu de sa propre majesté. Celui qui a été le dernier des rois romantiques fut un des plus grands constructeurs de châteaux en terre allemande. On s'est moqué de l'architecture de ce siècle en la qualifiant de « bal masqué des styles »; on l'a décriée en voyant en elle une simple répétition de l'histoire de l'architecture. Dans son analyse pessimiste de la culture, « Verlust der Mitte », Hans Sedlmayr arrive à la conclusion que le XIXe siècle a dépouillé les formes anciennes de leur contenu, a introduit la platitude, a visé à l'effet vide de sens. Toutefois, ces derniers temps, les châteaux autrefois si passionnément admirés puis définitivement classés dans la catégorie kitsch sont jugés à nouveau de façon plus différenciée. Le recours aux styles plus anciens, jugé tout à fait légitime à des époque antérieures, comme celle de l'héllénisme ou de la Renaissance, la tentative de transposer dans l'architecture l'enthousiasme qui éclatait la fois-là pour des courants nationaux, spirituels et artistiques du moyen âge n'est plus ravalé au rang de plagiat. Au commun des mortels ces édifices ont toujours plu. Et de plus en plus les experts attestent leur originalité et leur fantaisie architectonique.

The architecture of that period has been mockingly called a "masked ball of styles", has been criticised as a mere repetition of the history of architecture. In his pessimistic cultural analysis, "Verlust der Mitte", Hans Sedlmayr comes to the conclusion that the 19th century robbed the old forms of their contents, resulted in a levelling out of standards, and was satisfied with empty effects. In more recent times, the palaces that were once enthusiastically admired and later dismissed as kitsch, have been judged with more discernment. The return to older styles – which had already been legitimately practised in earlier epochs such as the Renaissance – the attempt to translate the period's enthusiasm for the national, spiritual, and artistic movements of the Middle Ages into architectural terms, is no longer simply dismissed as plagiarism. The man in the street always liked these buildings. Now it is increasingly being accepted by experts that they possess elements of originality and architectural imagination.

In alten Zeiten so hoch und hehr

Nach dem Ersten Weltkrieg haben die Schlösser ihre Aufgaben als Herrschaftszentren des Hochadels endgültig eingebüßt. Wer heute noch ein größeres Schloß als Privatadresse angeben kann, der muß schon über den entsprechenden Grundbesitz oder ein sehr ansehnliches Vermögen verfügen, denn die Kosten für die Erhaltung der Bausubstanz sind horrend. Mit Idealismus und Traditionsbewußtsein allein ist es da nicht getan. Sähe nicht die überlieferte Erbfolge vor, daß jeweils der älteste Sohn den gesamten Besitz übernimmt, während die Geschwister auf ihre Anteile verzichten – es wäre wohl nicht mehr viel übrig von allen Herrlichkeiten.
Zahlreiche Schlösser sind heute staatliches Eigentum, gehören dem Kreis oder der Gemeinde, dienen als Museen, als Sitz von Ministerien (Stuttgart), Universitäten (Bonn, Münster, Hohenheim), von Behörden und Gerichten (Celle), als Quartier für Staatsgäste (Schloß Gymnich bei Bonn). Eines ist ein Stift für adlige Damen, ein anderes ein Altersheim, hier ist die Bundeswehr einquartiert, dort der Malteserorden. Die Schlösser in Schwetzingen, Ludwigsburg und Heidelberg laden wie schon erwähnt zu Festspielen ein.
In Pommersfelden erklingen sommers Konzerte mit berühmten Solisten, in Weikersheim finden internationale Kurse für die musikalische Jugend statt, im Jagdschloß Kranichstein bei Darmstadt gaben sich in den Nachkriegsjahren die Neutöner ein Stelldichein. Große Kunstausstellungen sieht man im Charlottenburger Schloß in Berlin, kleine beispielsweise in dem bezaubernden Jagdschlößchen Cle-

Le train de vie d'autrefois

Après la première guerre mondiale, les châteaux ont définitivement perdu leur rôle de centres de la haute noblesse. Celui qui aujourd'hui encore peut donner le nom d'un grand château comme adresse privée doit disposer d'une propriété foncière correspondante ou d'une fortune très considérable. Car les frais d'entretien de tels édifices sont énormes.
L'idéalisme et le respect des traditions ne suffisent plus. Si l'ordre successoral ne prévoyait pas que l'aîné des fils hérite de la propriété et que ses frères et sœurs renoncent à leur part, il ne resterait plus grand-chose des splendeurs d'autrefois.
De nombreux châteaux sont aujourd'hui propriété de l'Etat, appartiennent au district ou à la commune, servent de musée, de siège à des ministères (Stuttgart), des universités (Bonn, Münster, Hohenheim), des autorités administratives et des tribunaux (Celle), accueillent des hôtes officiels (château de Gymnich près de Bonn). L'un est une maison de retraite pour des dames de la noblesse, un autre un hospice, ici c'est la Bundeswehr qui y est installée, là l'ordre de Malte. A Schwetzingen, Ludwigsburg et Heidelberg, les châteaux accueillent, comme on l'a déjà dit, des festivals. Pommersfelden sert de cadre l'été à des concerts donnés par des solistes célèbres, à Weikersheim se déroulent des cours internationaux pour la jeunesse musicale, au château de chasse de Kranichstein les compositeurs d'avant-garde se sont donné rendez-vous après la guerre.
De grandes expositions artistiques ont lieu au château de Charlottenburg à Berlin, de petites

The high and mighty days of yore

After the first world war the palaces finally lost their function as the "headquarters" of the ruling nobility. Nowadays, anyone who can give a large palace as his private address must possess an appropriately large estate or a very substantial fortune, for the cost of maintaining such large buildings is horrendous – idealism and respect for tradition are not enough. Without the traditional right of primogeniture – by which the eldest son inherits the whole real estate, while the other children get nothing – there would surely be little left of all the glory by now.
Today, many palaces have passed into public hands, belonging to the state, the county, or the local community; they serve as museums, house ministeries (Stuttgart), universities (Bonn, Münster, Hohenheim), local authorities and courts (Celle), or are used as quarters for state visitors (Gymnich Palace, near Bonn). One is a foundation for elderly gentlewomen of reduced means, another is an old people's home; the German army, and the Maltese Order occupy others. The palaces in Schwetzingen, Ludwigsburg, and Heidelberg serve as settings for festivals, as already mentioned. Pommersfelden is host to summer concerts with famous soloists, Weikersheim houses international music courses for young people, the Hunting Lodge at Kranichstein near Darmstadt was used as a meeting place for contemporary composers after the last war. Great art exhibitions take place in Charlottenburg Palace in Berlin, smaller ones in, for example, the charming little hunting lodge at Clemenswerth in Emsland, built by Johann

menswerth, das Johann Conrad Schlaun, ein Schüler Balthasar Neumanns, im Emsland erbaut hat. Oder im Wasserschloß Glücksburg.

Mehr als fünfzig deutsche Burgen und Schlösser haben der Gastronomie ihre Tore geöffnet, sind Restaurants oder Hotels geworden. Sie verwöhnen die Gäste mit aristokratischem Ambiente, mit Himmelbetten und Kaminfeuer, Golfplatz und Reitpferden, mit »landgräflichen Tafeleyen«, »herzoglichem Endtenvesper«, »friderizianischem Bankett« und womöglich mit erlesenen eigenen Weinen. Wer derlei berappen kann, diniert in der Rôtisserie St. Georges im Schloß Auel bei Bonn, delektiert sich an Hohenloher Spezialitäten in der Nobelherberge Schloß Friedrichsruh bei Öhringen, läßt seinen Nachwuchs in der Hochzeitskapelle von Schloß Hugenpoet in Kettwig trauen und labt dort anschließend die Festgäste mit Delikatessen der Nouvelle cuisine. Wieder andere Schlösser werben um neue Schloßherren mit einem Angebot von Eigentumswohnungen. Das reicht vom Einzimmerappartement bis zur sogenannten Fürstensuite, wobei »Prestige, Lebensfreude und Wertzuwachs im Preise inbegriffen« sein sollen. Der ist auch heute noch hoch und hehr.

expositions se déroulent par exemple dans le merveilleux pavillon de chasse de Clemenswerth, que Johann Conrad Schlaun, un élève de Balthasar Neumann, a construit à Emsland. Ou dans le castel d'eau de Glücksburg. Plus d'une cinquantaine de châteaux en Allemagne ont ouvert leurs portes à la gastronomie, sont devenus des restaurant ou des hôtels. Ils offrent à leurs hôtes une ambiance aristocratique, des lits à baldaquin, du feu dans la cheminée, un terrain de golf et des chevaux de selle, des tables princières et des banquets royaux accompagnés peut-être d'excellents vins de leur cru. Celui qui peut se payer ce luxe dîne à la Rôtisserie St-Georges dans le castel d'eau d'Auel près de Bonn, savoure les spécialités de Hohenlohe dans le restaurant réputé du château de Friedrichsruh près d'Öhringen, marie sa progéniture dans la chapelle du château de Hugenpoet à Kettwig et régale ensuite ses invités de spécialités de la Nouvelle cuisine dans le restaurant du même château. D'autres châteaux enfin cherchent de nouveaux châtelains en proposant des appartements en copropriété qui vont du logement d'une pièce à la suite dite princière avec «prestige, joie de vivre et plus-value assurés compris dans le prix». Un train de vie comme autrefois!

Conrad Schlaun, a pupil of Balthasar Neumann, or in the moated palace of Glücksburg. More than fifty German castles and palaces have turned to catering, have become hotels or restaurants. They pamper their guests in an aristocratic setting, providing four-poster beds and open fires, golf courses and riding stables, olde worlde dishes served under resounding names, and possibly even their own chateau-bottled wines. Anyone whose purse will allow it can dine in the Rôtisserie St. Georges in Auel Palace near Bonn, can enjoy Hohenlohe specialities in the luxury hotel Friedrichsruh, near Öhringen, can have his children married in the Wedding Chapel of Hugenpoet Palace in Kettwig and serve choice nouvelle cuisine delicacies at the subsequent wedding breakfast. Other palaces and castles are looking for new owners in condominium arrangements ranging from one-room apartments to so-called princely suites which are advertised as including "prestige, joie de vivre and unearned increments" in the price. And the price, at least, is still high and mighty, as of yore.

◀◀ **Hämelschenburg,** Weserbergland, Niedersachsen. Alles redet vom Sparen, aber nicht erst heute. Falls man eine Stalltür hat, kann man seine Spartips ja dort einmeißeln lassen, etwa in der Art: »Diesen Stall muss der meiden, wer stercker den 4 Pferde wil reiden.« Dann gelingt es einem vielleicht auch wie der Familie von Klencke, sein Schloß – immer vorausgesetzt, daß man ein solches hat – und seinen Besitz an die vierhundert Jahre zusammenzuhalten. 1618, die Hämelschenburg war fast fertig, da fand im Münchhausen-Schloß Schwöbber, gleich auf der anderen Seite des Berges, eine große Hochzeit statt, zu der alles kam, was Rang und Namen hatte. Es ging sehr aufwendig zu, und alle fanden, daß es so nicht weitergehen könne. Sie schlossen eine Art Abrüstungsabkommen: Keiner solle in Zukunft mehr als drei Kleider auf Reisen mitnehmen, keines mit Gold oder Silber verzieren lassen, für keines mehr als zweihundert Reichstaler ausgeben. Was das Essen betrifft, wollten sie sich in Zukunft auf acht Gänge beschränken. Und zu guter Letzt, womit wir wieder vor der Stalltüre angelangt wären, dürfe man höchstens im Viererzuge fahren, nicht »stercker den 4 Pferde reiden«. Anna von Klencke, die Witwe des schon 1609 verschiedenen Bauherrn Jürgen von Klencke, ließ den Spruch über die Stalltür setzen. Wer sich ein anschauliches Bild von der Weserrenaissance machen will, sollte den Weg zu diesem Schloß wirklich nicht scheuen. Es ist nämlich eines der schönsten. Erfahrungsgemäß reicht es, bis ans Ende der Allee zu gehen, um einen Eindruck zu bekommen. Jedenfalls ging es jenem Franzosen so, Vater der Comtesse Louise de la Chartre, die Anfang des 18. Jahrhunderts nach Hämelschenburg geheiratet hat. Er war gegen die Heirat und deswegen nicht zur Hochzeit erschienen. Es trieb ihn aber dann doch, »sich von der zukünftigen Familie seiner Tochter zu vergewissern. Er sei zu Roß gekommen, jedoch nur bis ans Ende der Allee geritten, habe das Schloß gesehen, es ganz annehmbar gefunden und sei von dort gleich umgekehrt . . .«

◀◀ **Château de Hämelschenburg,** Weserbergland, Basse-Saxe. Jürgen von Klencke se fit construire en 1588 un nouveau château dans le style Renaissance et celui-ci est devenu un des plus beaux de la région de la Weser. Aujourd'hui encore il appartient à la famille Klencke.

◀◀ **Hämelschenburg,** Weserbergland, Lower Saxony. In 1588 Jürgen von Klencke built a new palace in the Renaissance style, and it became one of the finest in the Weser region. It is still the home of the von Klencke family.

◀ **Schloß Bevern** bei Holzminden, Niedersachsen. »Palatum pulchrum, nisi emigrandum« (Ein schönes Schloß, wenn man nicht hinausmuß!), besagt eine Inschrift am Torweg des Schlosses. Das zeugt angesichts drängender Gläubiger vom Humor des Bauherrn Statius von Münchhausen. Eine Begabung, die offensichtlich in der Familie lag. Denn im 18. Jahrhundert ließ ein anderer Sproß dieser Familie, Hieronymus von Münchhausen, der auf Bodenwerder lebte, mit seinen abenteuerlichen Geschichten alle Welt schmunzeln und wurde Lügenbaron genannt. Doch zurück zu Statius von Münchhausen. Von seinem Vater hatte er nicht nur reiche Güter, sondern auch dessen Bauleidenschaft geerbt. Er ließ Schloß Leitzkau-Althaus vollenden, über seine Verhältnisse hinaus kostbar. Mit Bevern wurde er von Herzog Heinrich Julius von Braunschweig belehnt. Er ließ 1603 die alte Burg abreißen und in neun Jahren das vierflügelige Schloß erbauen, eines der schönsten Schlösser der Weserrenaissance. Statius mußte Leitzkau verkaufen, aber in Bevern lebte er noch mehr als zwei Jahrzehnte und starb auch hier. Nach seinem Tode übernahm Herzog Friedrich Ulrich von Braunschweig das Schloß für eine Abfindung von 16 000 Talern.

◀ **Château de Bevern,** près de Holzminden, Basse-Saxe. Quelque 150 ans avant que le «Baron de Crac», Hieronymus Carl Friedrich von Münchhausen ne raconte ses aventures extraordinaires à Bodenwerder, un autre rejeton de cette famille, Statius von Münchhausen fit construire en 1603 à Bevern, qui n'est qu'à quelques kilomètres de là, un des plus beaux châteaux de la Renaissance dans cette région. Au-dessus de la porte cochère, il avait fait mettre une inscription en latin qui disait ceci: «Un beau château quand on n'a pas à le quitter!» Une réflexion pleine d'humour lorsque l'on sait que ses créanciers étaient à ses trousses.

◀ **Bevern Palace** near Holzminden, Lower Saxony. About a hundred and fifty years before the great tall-story teller Hieronymus Carl Friedrich von Münchhausen lived at Bodenwerder, another scion of that family, Statius von Münchhausen built one of the finest palaces of the Renaissance in this area only a few miles away – at Bevern. He had a humorous Latin inscription placed above the gateway, which translates: "A fine palace, if one does not have to leave it!" The humour lay in the fact that he was being "besieged" by creditors.

◀ **Schloß Bückeburg,** Niedersachsen. Wir haben es gut. Wir sind an diesem Platz vom Besucherstrom unbehelligt und können einfach schauen: das Schloß, wie es sich in diese sanfte Erdmulde lehnt, ein grünes Wasserband vor sich herziehend, halb träumend, halb mit wachen Fensteraugen und munteren Giebelchen und Kaminen uns zugewendet. Das ist genug für unsere Eindrucks-volle Sammlung der Erinnerungen. Nein? Will jemand begreifen, was sich seinem Auge so ohne Erklärung darbietet? Ist jemand da, der den Einwand in den Wind schlägt, daß unsere unmittelbare Neugier im Grunde nur schwer zu stillen sein wird? Nämlich mit nicht viel weniger als der ganzen Geschichte, dem ganzen Leben, allen Wurzeln und Verästelungen. Und ich hätte bestenfalls Schilder für die Ablage in Erinnerungsschubladen anzubieten, Bauherr, Bauzeit, Erweiterungen, Umbauten, Stil, Einrichtungsgegenstände, Besonderes, Sehenswürdiges . . . . kann mich jetzt aber nur schwer von meinem Bild trennen – Schloß in sanfte Erdmulde gelehnt, mit wachen Fensteraugen träumend. Deshalb eine Schilderbeschriftung aus fremder Feder: »Aus einer um 1300 von Graf Adolf von Schaumburg errichteten und 1370–1404 umgebauten Wasserburg entstand das heutige Schloß, das noch den Bergfried und die Kapelle der alten Anlage enthält. Seinen Renaissancecharakter erhielt das Schloß bei einem gründlichen Umbau (1560–1563), der es zu einer Vierflügelanlage mit rechteckigem Hof, Treppenturm und Hofgalerie an zwei Seiten werden ließ. Noch einschneidender waren die barocken Veränderungen. Das Schloßtor, ein barocker Triumphbogen in den Architekturformen der Stadtkirche, betont den Hang zur Repräsentation. In die barocke Fassade wurde der alte Bergfried einbezogen. In der Schloßkapelle sind der von zwei Engeln getragene Altartisch, die Fürstenloge und das Gestühl mit seinem reichen Schnitzwerk besonders zu erwähnen. Eine Besichtigung wert ist auch der Goldene Saal (Kassettendecke von 1605)« (Knaurs Kulturführer).
Nun – ist da ein Auge, das jetzt besser oder mehr sieht als vorher? Eigentlich brauchen wir auch gar nicht mehr hineinzugehen, wo wir jetzt doch wissen, was es zu sehen gibt. (Oder sollen wir schauen, ob es auch Nichtsehenswürdigkeiten zu sehen gibt, zum Beispiel den Dachboden, Küche, Klos, das Innere der Kuppel. Das würde mich noch reizen.)

◀ **Château de Bückeburg,** Basse-Saxe. Après toutes les transformations subies depuis le moyen âge, après toutes les allées et venues des comtes et princes, poètes, philosophes et visiteurs, la résidence de la maison Schaumburg-Lippe s'intègre fort bien dans ce pittoresque vallon et regarde couler le ruban d'eau moiré de vert.

◀ **Bückeburg Palace,** Lower Saxony. After all the rebuilding and changes since the Middle Ages, after all the comings and goings of princes and nobles, of poets, philosophers, and visitors, the residence of the Schaumburg-Lippe family rests picturesquely in its dell and watches the green water flow past.

▶ **Jagd- und Lustschlößchen Baum** bei Bückeburg, Niedersachsen. Woher der Name kommt? Ganz einfach: von jenem Schlagbaum, den hier im Schaumburger Wald ein Baumschließer bediente – früher, als weit und breit noch nichts von einem Schlößchen zu sehen war. Der Mann des Grafen öffnete und schloß ihn und hielt ihn geschlossen, insbesondere nachts, damit nicht unrechtmäßig ein Holzwagen hier durchfahre. Deswegen nannten die Leute diese Gegend »Zum Baumschließer« und dann einfachheitshalber »Zum Baum«. Jemand muß dann ein Gartenhaus hergebaut haben, denn 1760/61 läßt Graf Wilhelm von Schaumburg-Lippe mit Sitz in Bückeburg ein solches zum Schlößchen umbauen, einen Park und einen Graben anlegen, der einen Springbrunnen mit Wasser versorgt.
Der Graf kommt oft hierher mit seiner frommen Gemahlin, und oft ist der junge Johann Gottfried Herder dabei und hält ihnen die Predigt. Von dem Grafen sagt Herder: »Er ist zu groß für unser Land.«
Graf Wilhelm hat nicht nur ein Grenadierregiment aufgebaut, ist nicht nur Bundesgenosse Friedrichs des Großen im Siebenjährigen Krieg, er gründet auch eine Militärschule (Scharnhorst), schreibt ein Buch über Verteidigung, beschäftigt sich mit Philosophie, korrespondiert mit Voltaire und Friedrich dem Großen. Er holt sich Johann Friedrich Christoph Bach, einen Sohn von Johann Sebastian Bach, in seine Hofkapelle und Herder als Pastor nach Bückeburg. Es heißt, die Grenzen von Schaumburg-Lippe seien zu eng gewesen für seine ausgreifenden Möglichkeiten und er sei sehr vereinsamt gestorben. Über dem Mausoleum des Grafen und seiner Familie, ganz nahe beim Schlößchen Baum, bemoost, im Wald versteckt, stehen die Worte: »Ewig ist die Fortschreitung, der Vollkommenheit sich zu nähern, obwohl am Grabe die Spur der Bahn vor dem Auge verschwindet.«

▶ **Pavillon de chasse et château de plaisance Baum** près de Bückeburg, Basse-Saxe. En 1760/61, le comte Guillaume de Schaumburg-Lippe fit d'un pavillon dans la forêt de Schaumburg ce petit château entouré d'un parc. Non loin de là, dissimulé et couvert de mousse, le mausolée du comte et de sa famille. Au dessus de l'étroite entrée une inscription en allemand qui dit ceci: «Eternelle est la progression vers la perfection bien qu'à la tombe sa voie disparaisse de la vue.»

▶ **Hunting Lodge and Pleasure Palace Baum** near Bückeburg, Lower Saxony. This little palace with its park in the Schaumburg Forest was built by Count Wilhelm von Schaumburg-Lippe in 1760/61 in place of a former garden house. Not far away, hidden in the woods, and covered with moss, is the mausoleum of the Count and his family. An inscription above the narrow entrance reads: "Progression towards perfection is eternal, although the path disappears from sight at the grave."

179

◀ **Schloß Schliestedt** bei Schöppenstedt, Niedersachsen. Klein, aber fein! Und dazu »procul negotiis«, das heißt: fern von Geschäften, wie über dem Eingang geschrieben steht. 1747 erwirbt der Minister von Herzog Karl I. von Braunschweig-Wolfenbüttel, Heinrich Schrader von Schliestedt, »durch den alles und jedes, was geschehen sollte, geschah«, wie Lessing sagte – dieser Minister also erwirbt das ehemalige Wasserschloß und läßt es 1760 im Rokokostil umbauen. Während sich außen nur der Mittelrisalit hervortut, ist das Schloß im Innern reich ausgestattet worden.

◀ **Château de Schliestedt** près de Schöppenstedt, Basse-Saxe. Le ministre du duc de Brunswick-Wolfenbüttel, Heinrich Schrader, fit transformer en 1760 dans le style rococo cet ancien castel d'eau situé à l'écart de toute place de négoce (comme l'indique l'inscription au-dessus de l'entrée «Procul Negotiis»).

◀ **Schliestedt Palace** near Schöppenstedt, Lower Saxony. Heinrich Schrader, minister of the Duke of Braunschweig-Wolfenbüttel, had this at one time moated palace rebuilt in the Rococo style in 1760 – far from places of business ("Procul Negotiis", as the inscription above the entrance reads).

▶ **Schloß Clemenswerth** bei Sögel, Hümmling, Niedersachsen. Pirschen wir uns heran. Clemenswerth ist ein Jagdschloß. 1735: Im Hümmling tut sich was. Die Bauern aus den Dörfern bereiten das Gelände auf, legen Schneisen und Alleen an, müssen Backsteine aus Ostfriesland und Bremen, Bruchsteine aus dem Siebengebirge und Holz heranführen – Hand- und Spanndienste, die sie früher durch einen Geldzins abgelten konnten. Doch Clemens August, Kurfürst von Köln, hat sich ». . . . gnädigst entschlossen, zu Unserer bequemlichen Wohnung ein jacht Schloß auff dem sogenannten Hümmeling erbauen zu laßen, und darüber bereits einen Abriß durch Unseren Obristen Schlaun verfertigen lassen . . .«
Der Bau zieht sich über zehn Jahre hin (1737–1747), nach Plänen und unter Aufsicht des Architekten Johann Conrad Schlaun. Widrige Witterung, finanzielle Schwierigkeiten und nicht zuletzt der zunehmende Unmut der Bevölkerung sind der Grund. Es wurde den Bauern zuviel, »zum höchsten Plaisir ihres gnädigsten Landesherren mit ihrem Schweiß und Arbeith den Schloßbau zu befördern«. Verpfändungen und Einquartierung von Milizsoldaten in die Häuser von Bürgern und Bauern machen sie aber gefügig. Auch während der Bauzeit hält sich Clemens August oft mehrere Monate in Clemenswerth auf und frönt seinen Leidenschaften: Kunst, Jagen, Intrigen, Frauen. Der französische Gesandte Blondel schreibt 1744 während eines Aufenthaltes hier: »Es ist ein großer Pavillon, in dem der Kurfürst allein wohnt, umgeben von acht weiteren Pavillons in der Art von Marly, allerdings bilden sie ein Achteck um den Pavillon des Kurfürsten. Sie sind sehr schön dekoriert und ausgestattet und sind nur zur Aufnahme der Bedienung und der Damen bestimmt, die der Kurfürst mit sich führt. Das Schloß ist von sehr schönen Alleen umgeben in einer weiten Heidelandschaft von mehr als dreißig Meilen . . . Der Kurfürst ist ein höchst aufmerksamer Gastgeber, der den Tag damit zubringt, Vergnügungen zu organisieren. Jeden Morgen schickt man uns Kutschen, um uns zum Schloß zu holen und wieder zurückzubringen, man bietet uns Jagdpferde und Kaleschen für Spazierfahrten . . .«
Und zu den Kosten des Schloßlebens schreibt der jeversche Gesandte Balich am 3. September 1739: »Man rechnet, das alles in 2 Jahren fertig seyn kann, und die kosten auf 2 Tonnen goldes; was vorhanden soll schon über 1 Tonne goldes gekostet haben.«

▶ **Château de Clemenswerth** près de Sögel, Hummling, Basse-Saxe. Johann Conrad von Schlaun a conçu cette construction des plus originales: le pavillon princier, un octogone avec des prolongements cruciformes, est situé au centre d'une étoile à huit branches constitué de huit allées tracées dans la forêt et est entouré de huit pavillons. L'ensemble fut construit de 1737 à 1747.

▶ **Clemenswerth Palace** near Sögel, Hümmling, Lower Saxony. Johann Conrad von Schlaun designed this highly original complex for Clemens August, Elector of Cologne: the pavilion, built in the shape of an octagon, with cruciform extensions, stands at the centre of eight radiating woodland paths, and is surrounded by eight smaller pavilions. It was built between 1737 and 1747.

Wasserschloß Dankern bei Haren, Emsland, Niedersachsen. Der Rentmeister war früher einer, der die landes- oder standesherrliche Rechnungsbehörde zur Einziehung der Einkünfte unter sich hatte. Somit ein einflußreicher Mann. Der Rentmeister Johann Heinrich Martels war so reich, daß er 1666 dem Amt Meppen 7000 Taler ausleihen und fast gleichzeitig noch das Gut Dankern erwerben konnte. Trotzdem hat er dann immer noch so viel Geld, daß er sich den Bau eines Herrenhauses von 1680 bis 1688 leisten kann. In der übernächsten Generation steigt die Familie in den Adelsstand auf, muß aber rund hundert Jahre später, 1832, aufgrund hoher Verschuldung Gut Dankern an den Reichsfreiherrn und späteren Grafen von Landsberg zu Velen und Gemen verkaufen.

Auf der Brücke über die Gräfte stehend, sehen wir auf das (ursprünglich nur eingeschossige) Herrenhaus. Das mit reicher Steinmetzarbeit geschmückte Portal kündet vom Selbstbewußtsein des Bauherrn wie auch vom künstlerischen Schaffen des münsterischen Baumeisters Peter Pictorius d. Ä.

Castel d'eau de Dankern près de Haren, Emsland, Basse-Saxe. Le pont qui franchit une douve mène tout droit au portail dont les ornements baroques témoignent de l'assurance de celui qui fit construire le château (1680–1688), Johann Heinrich Martels, receveur du pays, et des dons artistiques de son architecte, Peter Pictorius l'Ancien.

Dankern Manor near Haren, Emsland, Lower Saxony. The bridge crosses the moat straight to the portal, which demonstrates in Baroque terms the self-assurance of the man that had it built between 1680 and 1688: Johann Heinrich Martels, the collector of revenues of Emsland (architect: Peter Pictorius the Elder).

Schloß Jever, Ostfriesland, Niedersachsen. Wer kennt in Ostfriesland nicht das rothaarige Fräulein Maria von Jever, die – »in's Coelibat gedrängt« – sich doch zu behaupten wußte. Sie lebte im 16. Jahrhundert und war die letzte selbständige Regentin des Jeverlandes. Ein schon lange währender Streit zwischen Jever und den Grafen von Ostfriesland sollte endlich dadurch beendet werden, daß Edzard von Ostfriesland, der sich selber zum Beschützer der drei unmündigen Töchter Edo Wiemkens d. J. von Jever machte, versprach, einen seiner Söhne mit einer der drei Töchter zu vermählen. Doch dazu kam es nie. Zwei der Fräulein starben früh, und Maria sei angeblich »nicht schön genug, zu gering von Stande und wegen ihrer Keuschheit verdächtig«. Die Grafen von Ostfriesland meinten, auch ohne Heirat an den Besitz des Jeverlandes kommen zu können. Nur hatten sie nicht mit dem zähen Widerstand Marias gerechnet, die auf Rache sann, denn mit dem langen Warten auf die versprochene Heirat war ihre Aussicht auf einen Mann praktisch überhaupt geschwunden. Sie verlobte sich noch mit ihrem Berater, Boing von Oldersum, aber der starb. Aus Eifersucht ließ sie drei Frauen als Hexen verbrennen, weil sie angeblich Liebestränke für Boing gebraut hätten. Sie muß überhaupt eine sehr eigenwillige Frau gewesen sein: Noch im hohen Alter ging sie zur Jagd und tat aus dem Oldenburger Wunderhorn einen kräftigen Schluck, veranstaltete mit dem spanischen Gesandten ein Wettessen, das sie gewann. Fräulein Maria ließ sich zwei Harnische anfertigen, und auf ihr Betreiben fiel das Jeverland nach ihrem Tod tatsächlich nicht an die Grafen von Ostfriesland, sondern an die von Oldenburg.

Das Territorium Jever entstand um 1370 unter dem Häuptling Edo Wiemken d. Ä., jener, der die Schiffe der Vitalienbrüder in seinen Buchten versteckte. Die Burg wurde unter Hayo Harlda 1428 gebaut. Mit der barocken Zwiebelhaube von 1736 ist der Turm das weithin sichtbare Wahrzeichen des Jeverlandes.

Château de Jever, Frise orientale, Basse-Saxe. La tour avec la coupole bulbeuse, visible de loin, est le symbole de la région de Jever. Le château date du début du 15e siècle. Après la mort de Fräulein Maria, la dernière régente indépendante du Jeverland en 1576, il échut aux comtes d'Oldenburg au lieu de revenir aux comtes de Frise orientale. Ce fut là la revanche posthume de la régente, ulcérée par la promesse de mariage qu'ils n'avaient pas tenue à son égard.

Jever Palace, East Frisia, Lower Saxony. The tower, with its Baroque, onion-shaped spire, visible from afar, is the symbol of the Jever region. The castle was built in the early 15th century. After the death of Fräulein Maria, the last independent Regent of Jeverland in 1576, it passed into the possession of the Counts of Oldenburg, instead of to those of East Frisia: this was Maria's revenge for a broken promise of marriage.

Schloß Lütetsburg, Ostfriesland, Niedersachsen. Die Geschichte des Wasserschlosses beginnt eigentlich mit einer Sturmflut, die Burg und Ort Westeel, die »Herrlichkeit« des Häuptlingsgeschlechtes der Manninga nämlich, verschlingt. Die Familie läßt sich daraufhin in Lütetsburg nieder. Seit 1581 Hyma von Manninga den Wilhelm zu Inn- und Knyphausen heiratete, ist die Kette der Generationen bis heute nicht abgerissen. Beständig war auch der Wechsel von Zerstörung und Wiederaufbau. In der Vorburg (Bild) haben wir den ältesten Bestand der heutigen Anlage vor uns, aus dem 17. Jahrhundert. Dagegen wurde das Herrenhaus erst 1958 nach einem Brand (und nicht dem ersten) wieder neu aufgebaut.

Schön der Landschaftspark, einer der wenigen frühromantischen Gärten, die in Deutschland noch erhalten sind. Er ist das Lebenswerk des Edzard Mauritz und entstand in den Jahren 1790 bis 1813. In eigenartigem Kontrast zum herben Land wob er sich hier eine romantische Welt. Verschlungene Wege, Inschriften, Monumente, Pyramide, Freundschaftstempel und dann, über einen gewundenen Kanal zu erreichen – die »Insel der Seligen«.

Es ist das Jahr 1793, in einer Vollmondnacht. Die Insel der Seligen ist »mit gläsernen Lampen von zauberhafter Wirkung erleuchtet, als träte man in ein Elysium«, die gedämpften Klänge von Hörnern, Oboen, Klarinetten, Flöten, Violoncello, Bratsche und Violine vereinigen sich zu einem Adagio, und aus dem Gebüsch erklingt eine Ode von Klopstock. Edzard Mauritz steht am Grab seiner Frau und richtet an die fünfhundert Trauergäste die Worte: »Mit gefühlvoller Stimme aller Herzen feiern wir das Andenken einer schönen Seele, die in der Mitte ihres gottähnlichen Wirkens aus dem Kreise liebender Geliebter zu einer höheren Stufe des Daseins in die Gesellschaft vollendeter Unsterblicher hingerufen wurde.« Seit dieser Zeit ruhen die Verstorbenen von Lütetsburg auf der Insel der Seligen. Die Gruft in Bargebur wurde geschlossen.

Château de Lütetsburg, Frise orientale, Basse-Saxe. Le castel d'eau est habité depuis des siècles par la famille Inn-Knyphausen. Il fut à plusieurs reprises détruit et rebâti. Le logis du châtelain fut reconstruit en dernier lieu après un incendie en 1958. Le mur d'enceinte que l'on voit sur la photo est la plus ancienne partie de l'édifice actuel et date du 17e siècle. Le jardin paysager dans le style du début du romantisme, tracé par Edzard Mauritz de 1790 à 1813, vaut une visite.

Lütetsburg Palace, East Frisia, Lower Saxony. Lütetsburg has been the home of the Inn-Knyphausen family for centuries, in the course of which it has been destroyed and rebuilt a number of times. The palace itself was last destroyed by fire in 1958. The outer bailey, shown here, is the oldest part of the present complex, and was built in the 17th century. The early Romantic landscaped garden, laid out by Edzard Mauritz between 1790 and 1813, is well worth a visit.

▶ **Wasserschloß Dornum,** Ostfriesland, Niedersachsen. Torturm. Grausige Geschichten von »Quade Foelke«, der Witwe des Häuptlings Occo tem Brook zu Aurich, führen uns auf den Hof der Norderburg zu Dornum und weit in die Geschichte Ostfrieslands zurück. In die Zeit, als mächtige Häuptlingsfamilien das von Meer und Sümpfen eingeschlossene Land beherrschten, sich gegenseitig bekriegten und die Köpfe abschlugen. Die Chronik weiß von Quade Foelke, daß sie »ein mächtiges, äußerst böses Weib gewesen« ist, und bis heute dient sie den Friesen als Kinderschreck. Sie soll ihren Schwiegersohn Lütet Attena auf Dornum veranlaßt haben, seine Frau zu vergiften. Aber danach habe sie ihn und seinen Vater 1395 auf dem Hof der Norderburg enthaupten lassen. Nachweisbar ist das alles nicht, von der Geschichte gibt es noch verschiedene Abwandlungen, aber offensichtlich hat man es ihr zugetraut. Dornum war ein Komplex von drei Burgen, Wester-, Oster- und Norderburg, die 1514 im Verlaufe einer Fehde zerstört wurden. Die wiederaufgebaute Osterburg kam später an die Häuptlingsfamilie der Beninga, die Norderburg an die Herren von Closter, die sie 1678 bis 1717 zum barocken Wasserschloß mit dem Torturm ausbauen ließen.

▶ **Castel d'eau de Dornum,** Frise orientale, Basse-Saxe. Tour du corps de garde. En remontant le cours de l'histoire de Dornum jusqu'au 14ᵉ siècle, l'époque où en Frise orientale régnaient de puissantes familles, on trouve trois châteaux: le Westerburg, l'Osterburg et le Norderburg. Mais après leur destruction en 1514, deux seulement furent reconstruits: le Westerburg et le Norderburg qui de 1678 à 1717 fut transformé en castel d'eau baroque.

▶ **Dornum Palace,** East Frisia, Lower Saxony. Gatehouse tower. If we trace the history of the moated palace of Dornum back to the 14ᵗʰ century, a time when powerful chiefs ruled in East Frisia, we find that there were three castles here: Westerburg, Osterburg, and Norderburg. After they were destroyed in 1514, however, only the Westerburg and Norderburg were rebuilt, the latter being converted into a Baroque moated palace between 1678 and 1717.

◀ **Wasserschloß Gödens** bei Wilhelmshaven, Ostfriesland, Niedersachsen. Ostfriesland, das Land der grünen Marschen, von Meer und Sümpfen eingeschlossen, hat jahrhundertelang seine eigene Geschichte gemacht. Ein Leben zwischen Sturmfluten. Der Kampf gegen das Meer, der Deichbau, der den persönlichen Einsatz eines jeden erforderte, war die Grundlage des friesischen Freistaates (ca. 12.–14. Jahrhundert). Es war die Zeit der »goldenen Freiheit«, als sich die Abgeordneten jedes Jahr einen Tag nach Pfingsten am Upstalsboom bei Aurich versammelten und die Angelegenheiten ihres Landes berieten. Erst allmählich bildeten sich Häuptlingsfamilien heraus, und für Jahrhunderte ist die Geschichte Ostfrieslands von blutigen Häuptlingsfehden bestimmt. Die »Herrlichkeit Gödens« machte da keine Ausnahme. Durch Totschlag kam Alt-Gödens an Grote Onnken, den Stammvater derer von Inn- und Knyphausen, und seinen Sohn Gerko. Dessen Schwiegersohn, Edo Boings, ist der eigentliche Begründer der großen Herrlichkeit Gödens.

Von allen Häuptlingen Ostfrieslands konnte sich das Geschlecht der Cirksena am besten durchsetzen: Sie wurden schließlich als Reichsgrafen vom Kaiser mit Ostfriesland belehnt und 1662 in den Fürstenstand erhoben. Nach dem Tode des letzten Fürsten 1744 fiel das Land an Preußen. Gödens kam 1537 an die Herren von Fridag, womit wir uns der Zeit nähern, in der das Schloß entstand, wie wir es heute sehen, und das zu den schönsten und repräsentativsten in ganz Ostfriesland zählt. Haro Burchard von Fridag, Reichsgraf, Reichshofrat und Kaiserlicher Kammerherr, läßt das Wasserschloß Edo Boings umbauen und erweitern (1669 bis 1671). Es liegt auf einer Insel in der grünen Marsch, von doppelten Gräben umgeben und von Eichen und Laubengängen eingefaßt.

1746 kommt es durch Heirat an die Freiherren und späteren Grafen von Wedel, deren Nachkommen das Schloß auch heute noch bewohnen.

◀ **Castel d'eau de Gödens** près de Wilhelmshaven, Frise orientale, Basse-Saxe. Il est situé sur une île, entouré de verts marécages et d'un double fossé, et encadré de chênes et de charmilles. Construit de 1669 à 1671, c'est un des plus beaux châteaux et des plus représentatifs de toute la Frise orientale.

◀ **Gödens Palace** near Wilhelmshaven, East Frisia, Lower Saxony. It lies on an island surrounded by green marshland and a double moat, and framed in oaks and covered walks. Built in 1669–1671, it is one of the finest and most prestigious houses in East Frisia.

◀ **Schloß Oldenburg,** Niedersachsen. Ein alter ausgedienter Gaul bekommt sein Gnadenbrot, ein von seinen herrschaftlichen Bewohnern verlassenes Schloß dient als Museum. Jeder kann hereinkommen. Der Lebenszweck auch dieses Schlosses, allen die Standesunterschiede deutlich sichtbar zu machen, ist selber Heimatgeschichte geworden. Am 11. November 1918 dankte der letzte Großherzog ab, und zwei Tage danach richtete sich der Soldatenrat der Republik Oldenburg-Ostfriesland hier ein. Später dann brachte man die schweren Steinsärge herein von Häuptlingen aus Langwarden und Rodenkirchen, Holzbildwerke aus Hohenkirchen, Porzellan, Möbel, Geräte aus dem Alltag früherer Generationen. Die Überreste vergangener Zeiten füllen sechsundsechzig Räume des Schlosses. Mit am meisten bewundert wird das »Oldenburger Wunderhorn«, obwohl es nur eine Nachbildung des echten aus vergoldetem Silber ist, das im dänischen Schloß Rosenborg aufbewahrt wird.

Eine der Sagen über die Herkunft des Hornes (Graf Gerhard II. hat es um 1475 in Köln arbeiten lassen) sei erzählt, weil sie das Horn Graf Anton Günther zuschreibt, der Anfang des 17. Jahrhunderts das Oldenburger Schloß erbauen ließ:

»Mal ist Graf Anton Günther auf die Jagd geritten, hat sich im Eifer der Verfolgung etwas weit von seinem Gefolge entfernt und ist zum Osenberge unweit Oldenburg gekommen. Der schnelle Ritt hatte ihn dürsten gemacht, und da mußte es auch gerade treffen, daß sich, als er vor dem Berge stand, derselbe offentat und eine Jungfrau heraustrat, die ihm aus einem prächtigen Horne zu trinken bot. Der Graf aber hat das Horn mit der Rechten ergriffen, sich mit der Linken schnell in den Sattel geschwungen, hat das Getränk, ihm über das Haupt weg, rückwärts verschüttet und ist eilig davongeritten. In der Ferne hat er noch das Klagen der Jungfer gehört, hat noch einmal umgeschaut und gesehen, wie sich der Berg wieder geöffnet und die Jungfer verschwunden ist. An der Stelle aber, wo der verschüttete Trank sein Pferd getroffen, sind alle Haare wie fortgesengt gewesen. Das Horn hat er mit sich genommen, und es ist lange zum ewigen Andenken an die wunderbare Begebenheit in Oldenburg bewahrt worden. Besonders wunderbar ist aber noch an demselben, daß die Spitze desselben abgebrochen ist und alle Gold- und Silberschmiede sich vergeblich bemüht haben, sie wieder anzusetzen, denn es ist von einem Metall, das kein Mensch kennt.«

◀ **Château d'Oldenbourg,** Basse-Saxe. Il a été construit en 1607 par le comte Anton Günther. Aujourd'hui, il abrite un musée folklorique où se trouve entre autres une reproduction effectuée vers 1475 de la «corne magique d'Oldenburg» en argent doré. L'original est au château danois de Rosenberg. La légende veut que le comte Anton Günther l'ait reçue en cadeau d'une nymphe de la montagne.

◀ **Oldenburg Palace,** Lower Saxony. Built by Count Anton Günther in 1607. It now serves as a folklore museum which includes a copy (the original is in Rosenborg Palace in Denmark) of the silver gilt "Oldenburg Magic Horn" of about 1475. One of the legends about it says that Count Anton Günther was given it by a mountain nymph.

▶ **Schloß in Husum,** Nordfriesland, Schleswig. Torgebäude (Cornilssches Haus). Dieses Torgebäude gehört zu dem wenigen, was von dem radikalen Umbau im 18. Jahrhundert verschont blieb, durch den das Husumer Schloß seines alten Gesichtes beraubt wurde. Das und die prächtigen Kamine. Herzog Johann Adolf von Gottorf gab von 1612 an sechs in Auftrag wegen seiner verfrorenen Gemahlin Augusta. Vier davon werden dem Kieler Bildhauer Heidtricher zugeschrieben. Sie sind aus Alabaster und Sandstein, vergoldet und bemalt, mit reichem figürlichem Schmuck versehen.

Im Schloßgarten aber, wo im Frühjahr Tausende von Krokussen den Boden mit einem zartblauen Schleier überziehen, steht das Denkmal für Husums berühmtesten Sohn, für Theodor Storm. Husum, das Meer, Nordfriesland und seine Bewohner, das ist die Welt, der Stoff, aus dem seine Novellen gemacht sind. Husum gilt auch das Gedicht »Die Stadt«:

> Am grauen Strand, am grauen Meer
> und seitab liegt die Stadt;
> Der Nebel drückt die Dächer schwer,
> und durch die Stille braust das Meer
> Eintönig um die Stadt . . .
> Doch hängt mein ganzes Herz an dir,
> Du graue Stadt am Meer . . .

Storm wurde 1817 in Husum geboren, mehrere Häuser der Stadt, in denen er gelebt hat, erinnern an ihn. Im Schloß hatte er eine Zeitlang seine Anwaltskanzlei. 1888 ist er gestorben.

▶ **Château de Husum,** Frise septentrionale, Schleswig, Corps de garde (Maison de Cornils). Après les transformations radicales au 18e siècle, il ne resta du vieux château Renaissance qu'une aile avec de merveilleuses cheminées et ce bâtiment. Le plus célèbre enfant d'Husum fut le poète Theodor Storm qui y est né en 1817.

▶ **Husum Palace,** North Frisia, Schleswig. Gatehouse (Cornils' House). Of the original Renaissance palace only one wing and this gatehouse survived a radical conversion in the 18th century. The remaining wing contains 4 magnificent fireplaces. Husum's most famous son was the writer Theodor Storm, who was born there in 1817.

▶▶ **Herrenhaus Gelting,** Angeln, Schleswig. Im Mittelalter hieß der ganze östliche Zipfel von Angeln Geltingen. Eine vermutlich nahe beim heutigen Gut gelegene Burg war im Besitz des dänischen Königs und diente zusammen mit Glücksburg zur Absicherung gegen Wendeneinfälle. In dieser Gegend erstreckte sich damals ein riesiges Waldgebiet, so daß ein Eichhörnchen von Kappeln bis Gelting springen konnte, ohne auch nur einmal den Boden berühren zu müssen.

1494 geht das Gut in den Besitz der Ritter von Ahlefeldt über und bleibt es bis 1724. Mehrere Dörfer und die Halbinsel Beveroe gehören dazu. Eine Landschaft von eigenartiger Schönheit.

Turm und Ostflügel stammen noch aus dem 15. Jahrhundert, aber seine heutige Gestalt erhält das Herrenhaus im wesentlichen um 1770 durch Umbau und Erweiterung. Der neue Gutsherr, Sönke Ingwersen, war in Diensten der holländisch-ostindischen Kompagnie zum Gouverneur von Batavia aufgestiegen und hat eine Frau aus altem holländischem Geschlecht geheiratet. Doch nachdem sie gestorben war, zieht es ihn in seine Heimat zurück. Er erwirbt Gelting 1758 für 85000 Reichstaler. Ein Jahr später wird er als Baron von Gelting in den dänischen Adelsstand und 1777 auch in den deutschen Reichsfreiherrenstand erhoben. Und so wundert es nicht, daß er sein Haus angemessen ausbauen läßt. Außen zwar schlicht – einzige Besonderheit die großen holländischen Sprossenfenster – dafür innen um so aufwendiger. Er läßt eigens einen Stukkateur aus Italien kommen – Michelangelo Tadei –, schafft sich wertvolle Möbel, Gemälde und chinesisches Prozellan an. Seinen Namen ändert er ab in Seneca Inggersen. Noch heute wohnen hier seine Nachkommen.

▶▶ **Manoir de Gelting,** Angeln, Schleswig. C'est vers 1770 que le manoir s'est vu doter pour l'essentiel de sa forme actuelle lorsque le nouveau propriétaire, Sönke Ingwersen, anciennement gouverneur de Batavia, le fit transformer et agrandir. L'imposante tour et l'aile datent du 15e siècle.

▶▶ **Gelting Manor,** Angeln, Schleswig. The house took on its present form mainly in about 1770, when the new owner, Sönke Ingwersen, formerly Governor of Batavia, had it rebuilt and extended. The powerful tower and the east wing, however, are 15th century in origin.

▶ **Schloß Glücksburg,** Angeln, Schleswig. »Gott gebe Glück und Frieden« (abgekürzt: GGGF, so auf dem Wappen über dem Eingangsportal) war der Wahlspruch Herzog Hans d. J. Im Jahre 1564 erbte er Land, zu dem 1582 noch das säkularisierte Rüdekloster kam. Um den Besitz abzurunden, »ritt er seine Höfe ein«, das heißt, zu Pferde bezeichnete er die Bauernstellen, die er sich einverleiben wollte, ganze Dörfer ließ er niederlegen. Im selben Jahr schloß er mit dem Baumeister Nikolaus Karies einen Vertrag, wonach dieser nach Abbruch der Klostergebäude für 6000 Mark Lübsch ein Schloß erbauen sollte. Zum Vergleich: Damals kostete eine Kuh 5 Mark Lübsch, die Kosten des Schlosses entsprachen demnach dem Preis von 1200 Kühen, für heutige Verhältnisse etwa 1,5 Millionen Mark. In fünf Jahren war alles fertig: Drei Häuser mit Satteldach und drei Geschossen aneinandergereiht bilden einen fast quadratischen Block, dessen Ecken kräftige Wohntürme markieren. An ihnen auch noch die Abtritte. Früher waren die Abtrittpfeiler bis zum Wasser mit Holz verkleidet, ganz unkomplizierte Plumpsklos. Anläßlich einer fürstlichen Hochzeit 1905 wurde dann allerdings eine Wasserleitung gelegt und die Klos ins Innere verlegt. Man kaufte aus den umliegenden Bauernhöfen schöne Schränke auf und verwendete die Türen als Zugänge zu den sanitären Anlagen. Bis 1779 war das Schloß im Besitz der Nachkommen von Herzog Hans. Nach dem Tode des letzten brachte es der dänische König in seine Hand – nach altem Brauch: Der königliche Commissar kam, schloß das Tor und öffnete es wieder, löschte das Herdfeuer und zündete es wieder an und grub schließlich eine Erdscholle beim Schloß aus. Heutiger Besitzer ist der Herzog zu Schleswig-Holstein-Sonderburg-Glücksburg. Es ist noch bewohnt, aber zum großen Teil auch Besuchern zugänglich. Sehenswert die Gemälde, Gobelins und Ledertapeten.

▶ **Château de Glücksburg,** Angeln, Schleswig. Les lettres GGGF qui figurent dans le blason au-dessus du portail sont les initiales de la devise du duc Hans qui fit construire le château de 1582 à 1587: «Gott gebe Glück mit Frieden» (Que Dieu donne le bonheur avec la paix). Trois maisons à trois étages avec un toit en bâtière constituent quasiment un carré avec aux angles d'imposantes tours d'habitation. Le château est encore habité de nos jours mais il est également ouvert au public.

▶ **Glücksburg,** Angeln, Schleswig. The letters GGGF in the coat of arms over the entrance stand for the motto of Duke Hans, who built the palace in 1582–1587, and which translates as "God give happiness with peace". Three single-span, three-storey houses built directly on to one another form an almost square block at whose corners the powerful residential towers stand. The palace is still lived in, but is open to the public.

▶ **Hoyerswort,** Eiderstedt, Nordfriesland, Schleswig. Hoyerswort ist eine Besonderheit: auf der Halbinsel Eiderstedt überhaupt das einzige adlige Gut und einer der wenigen erhaltenen Renaissancebauten in ganz Schleswig-Holstein.

Eiderstedt, die »Nasenspitze Nordfrieslands«, ist aus drei Inseln zusammengewachsen, aus Eiderstedt, Everschop und Utholm. Die drei Schiffe im Wappen erinnern noch daran. Im Kampf gegen das Meer gelang es den Eiderfriesen im 11. und 12. Jahrhundert, mit Deichen und Dämmen die drei Inseln aneinanderzubinden, die Verbindung zum Festland gelang erst 1489. Diese natürlichen Gegebenheiten begünstigten eine sehr eigenständige Entwicklung dieser Landschaft. Die Bewohner setzten sich gegen die Abgabeforderungen der dänischen Könige zur Wehr, besiegten König Abel sogar 1252. Seitdem stellten sie sich unter den Schutz der Gottorfer Herzöge. Nach eigenem Recht hielten sie unter freiem Himmel das Landesthing ab und hatten ihre eigene Finanzverwaltung.

Die Geschichte von Hoyerswort läßt sich sicher bis ins Jahr 1564 zurückverfolgen, als Herzog Adolf von Gottorf seinem Ratgeber Caspar Hoyer einen Hof schenkt und ihn 1578 zum Staller, das heißt Statthalter, von Eiderstedt ernennt. Hoyer läßt in den neunziger Jahren dann das in seiner Unregelmäßigkeit reizvolle, bis heute fast unveränderte Herrenhaus bauen. Und mit seiner Statthalterschaft beginnt auch eine wirtschaftliche Blüte Eiderstedts. Das grüne Marschland wirft Überschüsse ab, ein reger Handel vor allem mit Holland entsteht, in der Hauptsache mit Käse und Getreide. Nach Eiderstedt kommen holländische Deichbauer und religiöse Schwärmer und Sektierer. Hoyerswort muß bereits in der nächsten Generation verkauft werden und wechselt während der nächsten 140 Jahre ständig den Besitzer, bis es 1771 der Landespfennigmeister Hamkens erwirbt. Seine Nachkommen bewirtschaften bis auf den heutigen Tag das fruchtbare Marschland.

▶ **Hoyerswort,** Eiderstedt, Frise septentrionale, Schleswig. Le premier propriétaire de ce domaine, Caspar Hoyer, fait construire à la fin du 16ᵉ siècle ce ravissant manoir de style Renaissance. Il était le gouverneur du duc de Gottorf à Eiderstedt. Cent ans auparavant seulement l'île d'Eiderstedt – qui elle-même avait été formée à partir de trois îles – avait pu être rattachée au continent. Le gouvernement de Hoyer marqua le début d'une période de prospérité économique et de bien-être pour la région d'Eiderstedt.

▶ **Hoyerswort,** Eiderstedt, North Frisia, Schleswig. The first owner of the estate, Caspar Hoyer, had this charming country house built in the Renaissance style at the end of the 16ᵗʰ century. He was the Duke of Gottorf's governor on Eiderstedt. The former island of Eiderstedt, which itself consisted of three islands grown together, had only been connected with the mainland a hundred years previously. Hoyer's governorship brought a period of economic prosperity to the Eiderstedt region.

▶▶ **Herrenhaus Deutsch-Nienhof,** Westensee, Holstein. Inmitten einer in der Eiszeit geformten Urlandschaft – Hügel, Sümpfe, Brüche, Moore, Wälder, Bäche und Seen – hat sich schon früh eine Kulturlandschaft herausgebildet, deren älteste Zeugen hier noch zahlreich zu finden sind: Steingräber und Grabhügel, bis zu 5000 Jahre alt. Dagegen vergleichsweise jung sind die Buchen und Eichen, die niedrigen Erdwälle, die die Felder einrahmen und gegen den Wind schützen – ihr Alter kann man in Jahrhunderten angeben.

Deutsch-Nienhof ist für uns erst in einer Urkunde von 1472 faßbar, als eine Wasserburg, die es bis ins 18. Jahrhundert blieb. Seit 1776 gehört das Gut der Familie von Hedemann-Heespen. Der hannoversche Hofgärtner Schaumburg legte 1835 den Landschaftspark an, und das Herrenhaus erhielt 1907 seine heutige Gestalt, hat aber noch Gebäudeteile aus dem 16. Jahrhundert aufzuweisen.

Die Bibliothek mit 11 000 Bänden gilt als bedeutendste Privatbibliothek des Landes.

▶▶ **Deutsch-Nienhof,** Westensee, Holstein. La propriété est située au milieu d'un ravissant paysage modelé pendant la période glaciaire – collines, marais, forêts, ruisseaux et lacs ainsi que des champs encadrés des petits murets de terre typiques pour les protéger du vent. Jusqu'au 18ᵉ siècle, le manoir a été un castel d'eau. Sa forme actuelle date de 1907.

▶▶ **Deutsch-Nienhof,** Westensee, Holstein. The estate is nestled in a delightful landscape formed during the Ice Age: hills, bog and moorland, woods, streams, and lakes, with the fields protected from the wind by the characteristic low earth walls. Deutsch-Nienhof was a moated castle until the 18ᵗʰ century, but was only rebuilt in its present form in 1907.

◀◀ **Schloß Emkendorf,** Westensee, Holstein. ». . . der Wald steht schwarz und schweiget, und aus den Wiesen steiget, der weiße Nebel wunderbar . . .« Dieses Abendlied von Matthias Claudius, so bekannt und volkstümlich geworden, soll hier in der Stille der Landschaft von Emkendorf entstanden sein. Vielleicht im Wiesengrund beim Schloß, wo sich ein Bächlein durchschlängelt, oder im schönen Park. Während das Schloß erfüllt war von Gastlichkeit, Feinsinnigkeit und geistreichen Gesprächen.
Matthias Claudius war des öfteren Gast in Emkendorf als »Seelenfreund« der Gräfin Julia von Reventlow. Zusammen mit ihrem Gemahl Fritz verstand sie es, das Schloß zu einem Kulturzentrum des Nordens zu machen (Wende vom 18. zum 19. Jahrhundert). Nur Goethe wollte trotz inständiger Bitten der Gräfin nicht kommen. Der Umbau des Herrenhauses in frühklassizistischem Stil mit einem römischen Flair in der Ausgestaltung der Räume fällt auch in ihre Zeit.

◀◀ **Château d'Emkendorf,** Westensee, Holstein. Lorsqu'à la fin du 18ᵉ siècle, le manoir subit des transformations qui lui donnent l'allure d'un château, il devient en même temps un lieu de rencontre pour les poètes et les philosophes qu'accueillent la comtesse Julia von Reventlow et son époux. De célèbres émigrés français trouvent également un refuge temporaire à Emkendorf.

◀◀ **Emkendorf Manor,** Westensee, Holstein. When the house was rebuilt on palatial lines at the end of the 18ᵗʰ century it at the same time became a meeting place for poets and philosophers under the patronage of Countess Julia von Reventlow and her husband. Some well-known French emigrés also found temporary asylum in Emkendorf.

◀ **Herrenhaus Nütschau** an der Trave, Holstein. Die Grabinschrift des Erbauers von Nütschau besagt: Heinrich Rantzaus Grab. Das übrige wissen die Völker in Europa rings und in der westlichen Welt.
Man könnte das für eine Übertreibung halten. Doch dem ist nicht so. Die Glanzzeit des schleswig-holsteinischen Adels, die zweite Hälfte des 16. Jahrhunderts, wird nach dieser führenden Familie auch »das Rantzausche Zeitalter« genannt. Nütschau, 1577 erbaut, zählt nur zu den kleineren Herrenhäusern. Heinrich Rantzau besaß insgesamt 21 Güter, dazu Blech-, Kupfer- und Rohrwerke; in seinen Wind- und Wassermühlen wurden Getreide und Ölfrüchte verarbeitet und Papier hergestellt. In ganz Europa wickelte Rantzau seine Geld- und Handelsgeschäfte ab, war Gläubiger von Fürsten, Königen und Städten, wie Hamburg, Lübeck, Danzig und Antwerpen. Aber nicht nur das. Mehr als andere kann er als typischer Vertreter des Humanismus im norddeutschen Raum gelten. Er war gebildet, versammelte Gelehrte und Dichter um sich und verfaßte selber wissenschaftliche Abhandlungen in Latein, eine Geschichte des Krieges gegen Dithmarschen und die erste Landesbeschreibung von Schleswig-Holstein.
Das Herrenhaus Nütschau, dessen Bauprinzip der drei aneinandergereihten Häuser wir auch in Glücksburg und Ahrensburg wiederfinden, war bis 1646 im Besitz der Familie Rantzau. Später wechselten die Besitzer häufig. Seit 1951 gehört es dem Benediktinerorden und dient als Jugendheim.

◀ **Manoir de Nütschau** sur la Trave, Holstein. Ce manoir a été construit en 1577 par le célèbre humaniste, homme d'Etat et marchand, Heinrich Rantzau. C'est l'une des plus petites demeures qu'il possédait. On y retrouve le même principe de construction qu'à Ahrensburg et Glücksburg: un ensemble de trois maisons alignées.

◀ **Nütschau Manor** on the Trave, Holstein. This country house was built by the distinguished humanist, statesman and merchant, Heinrich Rantzau in 1577. It was one of his smaller houses. We find the same construction principle as in Ahrensburg, and Glücksburg: three single-span houses built on to one another.

◀ **Schloß Ahrensburg,** Holstein. Die alte Ahrensburg kam 1567 an den berühmten dänischen Feldherrn Daniel Rantzau, der sie seinem Bruder Peter Rantzau vererbte. Ihm verdanken wir diesen herrlichen Renaissancebau (um 1590). Wie in Glücksburg sind drei Giebelhäuser aneinandergereiht und bilden einen Block mit Türmen an den Ecken. So geschlossen es wirkt, von Anfang an gehörten dazu die Schloßkirche auf der anderen Seite des Burggrabens und die vierundzwanzig »Gottesbuden«, ebenerdige Wohnungen, eine Armenstiftung, die auch heute noch besteht. Trotzdem muß das eine finstere Zeit gewesen sein, denn ein Sagenbuch erzählt von der Gemahlin des 1602 gestorbenen Peter Rantzau: »Die tolle Margarete ist noch heute wohlbekannt in Ahrensburg. Sie soll manches Gute gestiftet, aber durch siebenundzwanzig Jahre auch ein sehr strenges Regiment geführt haben.« Es folgen Schikanen, denen ihre Untergebenen ausgesetzt waren, und weiter heißt es dann: »Die Todesstrafe verhängte sie unerbittlich über Ehebruch, Diebstahl und Hexerei. Um ein Geständnis von dem Angeklagten zu erzwingen, wurde er ins Wasser des Burggrabens gesenkt, ging er nicht gleich unter, so galt er für überführt und wurde geköpft, verbrannt oder gehenkt. Als die tolle Margret gestorben war, legte man, um ihr das Wiederkommen unmöglich zu machen, eiserne Bänder um den Sarg und sieben Schlösser an den Deckel und mauerte das Gewölbe über ihr sogar zu. Wiedergekommen in Person ist sie zwar nicht, aber umherrasen hörte man sie noch lange. Sargdeckel, Bänder und Schlösser fanden sich gesprengt, als die Kirche nach langer Zeit ausgebessert und das Gewölbe geöffnet wurde.« Eine neue Glanzzeit brach für das Schloß an, als Heinrich Carl Schimmelmann 1759 das Schloß kaufte. Was dieser »kleine Mann« aus Pommern durch kaufmännisches Geschick und Glück alles geworden ist! »Nämlich: Sr. Königl. Majestät zu Dännemarck Norwegen bestallter Schatzmeister Geheimer Rath, Grafen zu Lindenburg, Erbherrn auf Ahrensburg« (Inschrift auf seinem Sarg). Nicht vermerkt ist hier, daß er am 13. Mai 1749 auch noch Patron der Schloßkirche wurde.
Heute ist das Schloß Museum für schleswig-holsteinische Adelskultur.

◀ **Château d'Ahrensburg,** Holstein. C'est à Peter Rantzau que l'on doit ce beau château Renaissance. Il avait hérité de son frère, le célèbre général Daniel Rantzau, l'ancien Ahrensburg et fait construire un nouvel édifice (vers 1590). Par son plan – trois corps de bâtiment alignés en un bloc flanqué de quatre tours d'angle – celui-ci rappelle le château de Glücksburg. Aujourd'hui, le château abrite un musée consacré à la vie de la noblesse dans le Schleswig-Holstein.

◀ **Ahrensburg Palace,** Holstein. This lovely Renaissance palace was built for Peter Rantzau, who inherited the old castle from his brother, the famous general, Daniel Rantzau, and rebuilt it in its present form in about 1590. Its ground plan – three single-span houses arranged in a single block with four corner towers – is reminiscent of Glücksburg. The palace now serves as a museum devoted to the aristocratic way of life in Schleswig-Holstein.

◀ **Herrenhaus im Hirschpark, Hamburg-Nienstedten,** Bezirk Altona. Hier wohnte der »ungekrönte König der Südsee«, Johann Cesar Godeffroy (oder wie ihn die neidischen Konkurrenten aus England bezeichneten, »der skrupellose Nimmersatt der Südsee«). Die Godeffroys sind eine Hugenottenfamilie, die über Berlin nach Hamburg kam und sich dort 1737 niederließ. Das 1766 gegründete Handelshaus entwickelte sich im 19. Jahrhundert zu einer der bedeutendsten Segelschiff-Reedereien Hamburgs. Zum richtigen Zeitpunkt und mit den richtigen Leuten – seinen Brüdern nämlich – schuf sich Johann Cesar Godeffroy in der Südsee ein richtiges Imperium.
Nachdem zwei Bauernhöfe am Elbufer aufgekauft waren, entwarf der dänische Baumeister Christian Friedrich Hansen zwei Landhäuser, eines für Richard Godeffroy und gleichzeitig eines für Johann Cesar (1789 bis 1792, Bild). Es liegt heute im öffentlichen Teil des Hirschparkes und wird gewerblich genutzt, während das andere sich noch in Privatbesitz befindet. Den Namen erhielt der Park erst später von einem vom Enkel des Gründers angelegten Gehege mit Damwild.
Johann Cesar Godeffroy verstand sich übrigens nicht nur auf Perlschalen und Kokosnüsse aus Samoa und auf Segelschiffe, er schickte auch Wissenschaftler mit umfangreichen Forschungsaufträgen in sein Imperium. Die Ergebnisse ließ er in einer Zeitschrift veröffentlichen, und was sie mitbrachten, machte das Haus Godeffroy zu einem Anziehungspunkt für zahlreiche Wissenschaftler.

◀ **Demeure seigneuriale dans le Hirschpark à Hambourg-Nienstedten,** quartier d'Altona. C'est ici qu'habitait le «roi sans couronne des mers du Sud», Johann Cesar Godeffroy. Ses concurrents anglais le qualifiaient de façon moins aimable de «glouton sans scrupules des mers du Sud». La maison de commerce fondée en 1766 par la famille hugenotte Godeffroy devient une des plus importantes compagnies maritimes de Hambourg au 19ᵉ siècle. La maison de campagne au bord de l'Elbe fut construite de 1789 à 1792 d'après les plans de l'architecte danois Christian Friedrich Nansen.

◀ **Manor in the Hirschpark, Hamburg-Nienstedten,** District of Altona. The "uncrowned king of the South Seas", Johann Cesar Godeffroy, lived here. His English competitors were less complimentary, calling him "the unscrupulous glutton of the South Seas". The trading house founded in 1766 by the Huguenot family called Godeffroy, developed into one of Hamburg's most important shipping companies of the 19th century. This country house on the River Elbe was built in 1789–1792 to plans by the Danish architect Christian Friedrich Nansen.

▶ **Schloß Charlottenburg,** Berlin. Der Schnee unterstreicht noch die zurückhaltende Eleganz und scheint das Schloß ins Zeitlose oder gar Unwirkliche zu entrücken. Unbekümmert um die Kälte winkt Fortuna von der Kuppel zu uns herüber, nackend. Barbusig auch die anderen Gestalten auf der Balustrade in luftiger Höhe.
Vor rund 300 Jahren erklangen hier die Jagdhörner. In der Nähe das Dorf Lietzow. Bei der Jagdgesellschaft befinden sich auch Damen, von denen es einer entfährt: »Hier möcht' ich ein Schloß haben.« Da sie Sophie Charlotte heißt und ihr Gemahl Kurfürst von Brandenburg ist (später König von Preußen), steht dem nichts im Wege. Ein Lustschloß wird gebaut, die Lietzenburg, 1695. Und Sophie Charlotte brachte Leben ins Haus: Künstler, Dichter, Philosophen, darunter Leibniz, und machte selber mit, als Gesangsbegleitung, im Orchester, als Verfasserin von Texten für Singspiele. Nach ihrem Tod 1705 erhält das Schloß ihren Namen. Aber mit ihr ging auch das festliche Treiben. Als ihr Sohn Friedrich Wilhelm, der Soldatenkönig, an die Regierung kommt, befiehlt er, Schloß Charlottenburg zu schließen, damit keiner mehr durch all den »philosophischen Firlefanz«, die Parfüms und die Musik vom Kasernendenken abgelenkt werde. Die Blumen im Garten müssen herausgerissen und durch Kohlköpfe ersetzt werden. Wenn wir genau hinschauen: Die Kohlköpfe konnten sich auf die Dauer doch nicht halten . . .
Friedrich der Große war mehr nach seiner Großmutter geraten. Er kommt öfters nach Charlottenburg und erläßt hier seine erste Regierungserklärung. Sein Baumeister Knobelsdorff entwirft den Erweiterungsbau.
Das im Zweiten Weltkrieg schwer beschädigte, inzwischen aber wieder restaurierte Schloß ist das einzige der großen Hohenzollernschlösser, das noch in West-Berlin steht.

▶ **Château de Charlottenburg** à Berlin. Le neige rehausse encore l'élégance de ce château. Le prince électeur Frédéric de Brandebourg, qui devint le premier roi de Prusse, fit construire en 1695 ce château de plaisance pour son épouse Sophie-Charlotte. Le château fut agrandi par la suite, surtout sous Frédéric le Grand par son architecte Knobelsdorff. Le château de Charlottenburg est le seul château des Hohenzollern qui existe encore à Berlin-Ouest.

▶ **Charlottenburg Palace,** Berlin. The snow emphasizes the restrained elegance of this building. Elector Friedrich von Brandenburg – later first King of Prussia – had it built as a pleasure palace for his wife Sophie Charlotte in 1695. It was extended later, especially by von Knobelsdorff under Frederick the Great. Charlottenburg is the only large Hohenzollern palace to survive in West Berlin.

◀ Jagdschloß Grunewald, Berlin-Zehlendorf, Dahlem. Von den Jagdschlössern, die sich Kurfürst Joachim II. von Brandenburg (1535–1571) errichten ließ, ist das »zum grünen Wald« am vollständigsten erhalten. Wo es jetzt so winterlich still ist, wo nur Ausflügler nach Erholung oder Museumsbesucher nach Stücken aus der Vergangenheit »jagen«, erfüllte in früherer Zeit echter Jagdlärm den grünen Wald, wenn Joachim zur Sauhatz oder Fuchsjagd blasen ließ. Da ging es hoch her. Nur: Was für die Jäger und ihr Gefolge amüsant und erfreulich gewesen sein mag, für die, die es bezahlen mußten, war es bestimmt nicht so. Um seine aufwendige Hofhaltung finanzieren zu können, ließ Joachim beispielsweise reichen Bürgern einfach wertvolle Stücke aus dem Haus holen. Oder er rief wieder nach den Juden, damit sie ihn von seinem Schuldenberg befreiten. Nur wenige kamen, weil die letzte Verfolgung in Berlin noch nicht vergessen war. Aber auch diesen erging es schlecht. Da scheute man sich nicht, den Teufel und die Folter zu bemühen, um die lästig gewordenen Gläubiger wieder loszuwerden.
Friedrich der Große läßt noch einen Geräteschuppen anbauen, wo alles Jagdgerät hinkommt, das in seinen anderen Schlössern umherliegt. Damit will er offensichtlich nicht viel zu tun haben. Das Schloß steht lange leer, bis zu den Hubertusjagden in der Kaiserzeit. Nach 1918 wird es Museum. Zu den Jagdstücken kommen noch Gemälde, Möbel – z. B. der Tisch, an dem der Soldatenkönig das Todesurteil für den besten Freund seines Sohnes bestätigt haben soll.

◀ Pavillon de chasse de Grunewald, Berlin-Zehlendorf, Dahlem. C'est le mieux conservé des pavillons de chasse que le prince électeur Joachim II de Brandebourg (1535–1571) fit construire. Frédéric le Grand y avait encore ajouté une remise pour l'équipement de chasse. Vide pendant longtemps, le pavillon fut à nouveau utilisé sous l'Empire. Il abrite aujourd'hui un musée.

◀ Grunewald Hunting Lodge, Berlin-Zehlendorf, Dahlem. This is the best-preserved of the hunting lodges that Elector Joachim II of Brandenburg (1535–1571) had built. Frederick the Great added a building for hunting implements. It was unused for a long time, but functioned once more during the days of the Empire as a hunting lodge. It is now a museum.

Register der Schlösser

Literaturverzeichnis

Alte Burgen, schöne Schlösser. Stuttgart, Zürich, Wien 1980

Alvensleben, Udo von: Die Lütetsburger Chronik. Norden 1955

Ders: Mauern im Strom der Zeit. Frankfurt, Berlin 1969

Ders.: Schlösser und Schicksale. Frankfurt, Berlin, Wien 1970

Backes, Magnus/Feldtkeller, Hans: Kunstwanderungen in Hessen. 3. Aufl., Stuttgart 1979

Barock in Baden-Württemberg. Band 2. Karlsruhe 1981

Bauer, Hermann/Rupprecht, Bernhard: Kunstwanderungen in Bayern südlich der Donau. Stuttgart 1973

Bauer, Max: Liebesleben in der Vergangenheit. Berlin 1924

Belsers Ausflugsführer Baden-Württemberg. Burgen, Schlösser, Ruinen. 2. Aufl., Stuttgart 1985

Berns, Wolf-Rüdiger: Burgenpolitik und Herrschaft des Erzbischofs Balduin von Trier (1307–1354). Sigmaringen 1980

Biehn, Heinz: Residenzen der Romantik. München 1970

Blunt, Wilfried: Ludwig II. König von Bayern. 8. Aufl., München 1970

Boeckhoff, Hermann/Joop, Gerhard/Winzer, Fritz: Paläste, Schlösser, Residenzen. München, Braunschweig o. J.

Brandt, Otto: Geschichte Schleswig-Holsteins. 7., überarb. u. erw. Aufl. von W. Klüver, Kiel 1976

Braubach, Max: Die vier letzten Kurfürsten von Köln. Bonn und Köln 1931

Bruch, Rudolf von: Die Rittersitze des Emslandes. Münster 1962

Burgen und Schlösser in Deutschland. Ostfildern 1982

Clifford, Derek: Geschichte der Gartenkunst. 2. Aufl., München 1981

Deutsche Kunstdenkmäler. Ein Bildhandbuch. Hrsg. v. Reinhardt Hootz. 9 Bde., versch. Aufl., München, Berlin

Engel, Hans-Ulrich: Schlösser und Herrensitze in Brandenburg und Berlin. Frankfurt 1959

Europäisches Rokoko. Ausstellungskatalog. München 1958

Firmenich, Heinz: Schloß Türnich. Köln 1975

Fischer, Bernd: Das Bergische Land. 5. Aufl., Köln 1982

Fleischhauer, Werner: Barock im Herzogtum Württemberg. 2. Aufl., Stuttgart 1981

Foerster, Rolf Hellmut: Das Barock-Schloß. Köln 1981

Gothein, Marie-Luise: Geschichte der Gartenkunst. 2 Bde. Jena 1926

Handbuch der historischen Stätten Deutschlands. Bd. 1–7, verschied. Aufl., Stuttgart 1965–1976

Hässlin, Johann Jakob (Hg.): Rheinfahrt. München 1952

Henk, Richard: Das Bruchsaler Schloß. Heidelberg 1978

Hotz, Walter: Kleine Kunstgeschichte der deutschen Schlösser. 3. Aufl., Darmstadt 1980

Hüttl, Ludwig: Schlösser. München, Zürich 1982

Hüttl, Ludwig/Lessing, Erich: Deutsche Schlösser, deutsche Fürsten. München 1980

Keupen, Wilhelm van: Schlösser und Herrensitze in Niedersachsen. Frankfurt 1960

Kisky, Hans: Schlösser und Herrensitze im Rheinland. Frankfurt 1960

Knaurs Kulturführer in Farbe – Deutschland. München, Zürich 1976

Koch, Herbert: Schloß Berleburg. München, Berlin 1968

Koch, Wilfried: Baustilkunde. München 1982

Die Kunstdenkmäler von Niederbayern. Band VII: Bezirksamt Kelheim. Bearb. von Felix Mader. München 1922

Lorck, Carl E. L. von (Hg.): Burgen und Schlösser. Frankfurt 1965

Märchen, Sagen, Lieder und Gebräuche aus Westfalen. Atzbach 1978

Meier-Oberist, Edmund: Kulturgeschichte des Wohnens im abendländischen Raum. Hamburg 1956

Mercanton, Jacques: Die Traumschlösser König Ludwigs II. von Bayern. Starnberg 1964

Meyer, Werner: Burgen und Schlösser in Bayerisch Schwaben. Frankfurt 1979

Ders.: Burgen und Schlösser in Schwaben. Frankfurt 1964

Ders.: Deutsche Schlösser und Festungen. Frankfurt 1969

Mummenhoff, K. E.: Schloß Eringerfeld. München, Berlin 1971

Ders.: Die Wewelsburg. München, Berlin 1972

Ders.: Wasserburgen in Westfalen. 4., veränd. u. erw. Aufl., München 1977

Münchhausen, Börries Freiherr von: Geschichten aus der Geschichte einer alten Geschlechtshistorie. Leipzig 1934

Oppens, Edith: Hamburg. München 1981

Paret, Oscar: 250 Jahre Ludwigsburg. Ludwigsburg 1954

Petzoldt, Leander (Hg.): Historische Sagen I. München 1976

Picht, Werner: Trier. Düsseldorf 1966

Pinder, Wilhelm: Deutsche Wasserburgen. Königstein i. T. 1968

Probst, Eduard: Führer durch die süddeutschen Burgen und Schlösser. Zürich 1968

Propyläen Kunstgeschichte. Hrsg. unter Beratung von Kurt Bittel u. a. 18 Bde., Berlin 1967 ff

Reclams Kunstführer – Deutschland. Bd. 1–5, versch. Aufl., Stuttgart 1971–1977

Richardi, Hans-Günter: Unheimliche Plätze in Bayern. Pfaffenhofen 1977

Rumohr, Henning von: Schlösser und Herrensitze im Herzogtum Schleswig. Frankfurt 1968

Sayn-Wittgenstein, Franz Prinz zu: Schlösser in Bayern. München 1972

Ders.: Schlösser in Franken. München 1974

Schacherl, Lillian: Der Chiemgau. München 1982

Johann Conrad Schlaun 1695–1773. 2. Bde. Bd. I Textteil, hrsg. von Klaus Bußmann. Münster 1973

Schneider, Otto: Die Finanzpolitik des Kurfürsten Klemens Wenzeslaus von Trier. Berlin 1958

Siebert, Walter (Hg.): Schaumburg-Lippe im Wandel der Zeit. Bückeburg o. J.

Straub, August: Burgen und Schlösser im Hessenland. Melsungen 1976

Ulmann, Helmuth von: Wanderungen im Weserbergland. Bremen 1976

Welchert, Hans-Heinrich: Wanderungen zu den Burgen und Domen in Niedersachsen. Frankfurt 1973

Ders.: Wanderungen zu den Domen und Schlössern in Schleswig-Holstein. Frankfurt 1978

Wildemann, Theodor: Rheinische Wasserburgen und wasserumwehrte Schloßbauten. Neuß o. J.

Wörner, Judith/Wörner, H. J.: Wasserschloß Inzlingen. München, Zürich 1978

Zaunert, Paul (Hg): Rheinlandsagen. Düsseldorf, Köln 1969

Zeitschrift für vaterländische Geschichte und Altertumskunde. Westfalen. 30, 1872

Zenkner, Oswald: Schwetzingen. Schwetzingen 1964

Zimmermann, Wolfgang: Unterwegs zu Burgen und Schlössern im Schwarzwald. Ostfildern 1981

In unserer Bildbandreihe
sind in gleichem Format und
gleich hochwertiger Ausstattung erschienen

Zauber welt der Meere
Kurt Amsler

Zauber welt der Mineralien
Medenbach/Wilk

Horst Krüger / Karl-Heinz Jürgens
Zwischen Erzgebirge und Ostsee

Kirchen und Klöster in Deutschland
Thaddäus Troll

Burgen in Deutschland
Thaddäus Troll

Susanne Ulrici
Deutschland Allemagne Germany

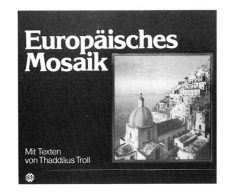

Europäisches Mosaik
Mit Texten von Thaddäus Troll

Paradiese auf Erden
Mit Texten von Thaddäus Troll

G. Kleemann / C. L. Schmitt
Das Hohenloher Land

Kleemann / van Hoorick
Die Schwäbische Alb

Die Alpen Les Alpes The Alps
Reinhold Messner

Die Schweizer Alpen Les Alpes Suisses The Swiss Alps

Peter Carmichael
China Chine China

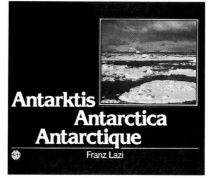

Antarktis Antarctica Antarctique
Franz Lazi